うなぎ百花繚乱

うなぎ百花繚乱

うなぎ前《まえ》

うなぎは待つもの。活鰻《かつまん》を捌《さ》いて、蒲焼を焼く間の小一時間、一杯やる時間を「うなぎ前」という。肴《さかな》は肝《きも》や骨。捨てるところがないのもうなぎの魅力。

うなぎ量深《りょうしん》（茨城・笠間《かさま》）

レバーの串焼
鰻と地酒《じざけ》の稲毛屋《いなげや》（東京・千駄木《せんだぎ》）
肝とは通常内臓全部を指す。1尾に1つしかない肝臓を集めたレバーの串焼は超レア

うなさし
うなぎ創作《そうさく》 鰻樹《まんじゅ》（埼玉・吉川《よしかわ》）
血抜きに特殊な技術が必要なうなさしは提供する店が少なく、極上の逸品

骨せんべいと肝わさ
うなぎ魚政《うおまさ》（東京・四ツ木《よつぎ》）
まず取り出す骨と肝。カリッと揚げた骨せんべいとわさびを添えた肝は最高の肴

匠《たくみ》の技

季節により、皮の硬さや身の硬さの異なるうなぎを、いつなん時《どき》もおいしく仕上げる、うなぎ職人の「技」。串打ち三年、捌《さ》き八年、焼きは一生といわれる。東西技法は違えど、それぞれに魅力がある。

東

捌き（東）
うなぎ屋酒坊《しゅぼう》・画荘《がそう》 越後屋《えちごや》（埼玉・所沢《ところざわ》）
東は背開《せびら》き、西は腹開《はらびら》き。頭《あたま》打《う》ち後に目《め》打《う》ちして生きたまま捌く

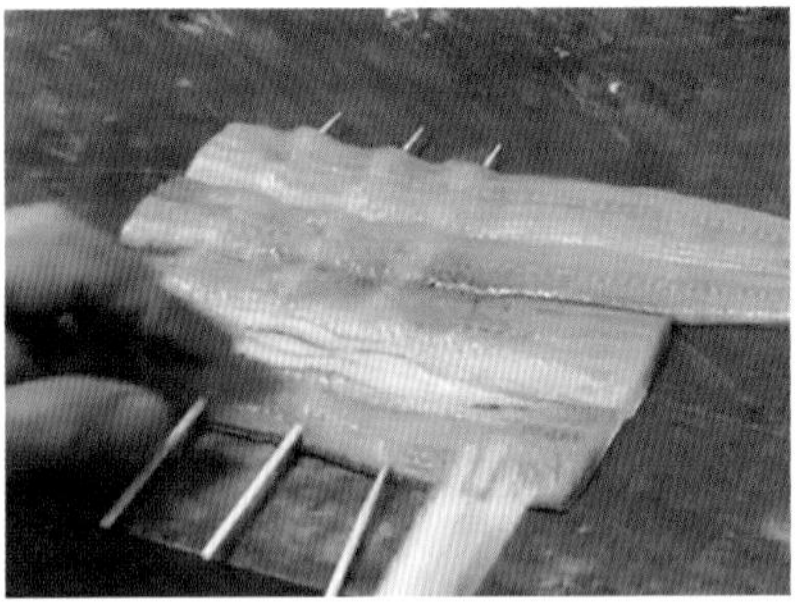

串打ち（東）
うなぎ処《どころ》 古賀《こが》（埼玉・浦和《うらわ》）
東は後で蒸すため、うなぎを切ってから、蒸すのに最適な竹串《たけぐし》を打つ

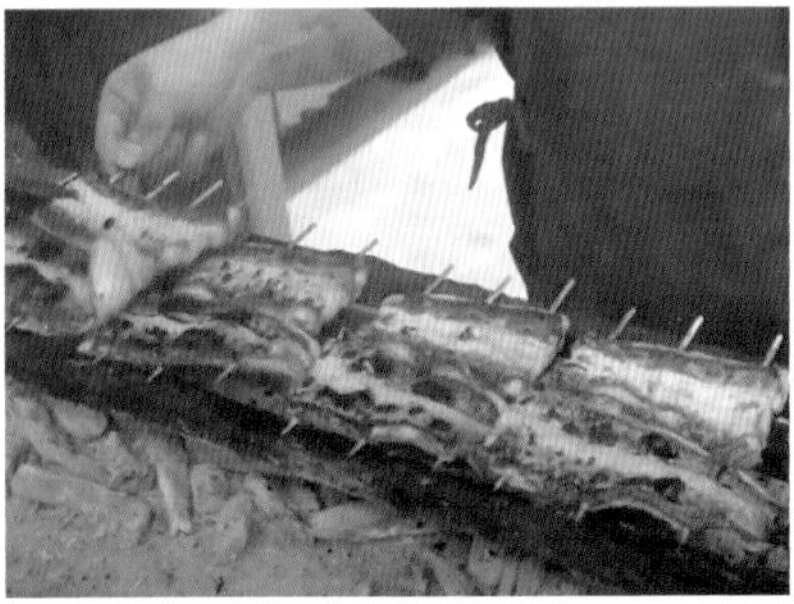

焼き（東）
うなぎ量深《りょうしん》（茨城・笠間《かさま》）
素焼《すや》きの工程。「万遍返《まんべんがえ》し」というほど、何度も返して丁寧に焼きあげる

西

串打ち（西）
炭焼《すみや》きの店 うな豊《とよ》（**愛知・名古《なご》屋《や》**）
西は長いまま。焼きのみなので、熱伝導率のよい鉄串《かなぐし》を打つ

焼き（西）
うなぎ居酒屋《いざかや》 西口商店《にしぐちしょうてん》（**宮崎**）
長い串を操り、折りたたむように何度も返す「こなし」。たれをつけながら焼く地焼《ぢや》き

東

蒸し（東）
うなぎ処《どころ》 古賀《こが》（**埼玉・浦和《うらわ》**）
蒸すことで関東風のふわとろになる。ステンレス製蒸し器が一般的だが、旧来の和せいろを使う店もある。この後たれをつけて本焼《ほんや》きで仕上げる

東

白焼《しらやき》

うなぎそのものと、焼きを味わうための一皿。半身《はんみ》で出してくれる店もあるので、うなぎ前に肴《さかな》として楽しむのにも最適。わさび醤油、山椒塩、ゆず胡椒など、何を添えるかにも店の個性が出る。

白焼（東）
駿河屋《するがや》（千葉・成田《なりた》）
しっかりと素焼きした後、蒸すのが定番。口の中でとろけてうま味が広がる

うな重（東）
うなぎ喜代川《きよかわ》（東京・日本橋《にほんばし》）
江戸前のたれは醤油とみりんが1対1。ふっくらしたやわらかさとあっさりした色合いが特徴

西

白焼（西）
うなぎ料亭《りょうてい》 山重《やまじゅう》 瀬田本店《せたほんてん》（滋賀・大津《おおつ》）
頭をつけたまま焼き、焼いた後、一口大に切って盛りつける。頭も添えられる

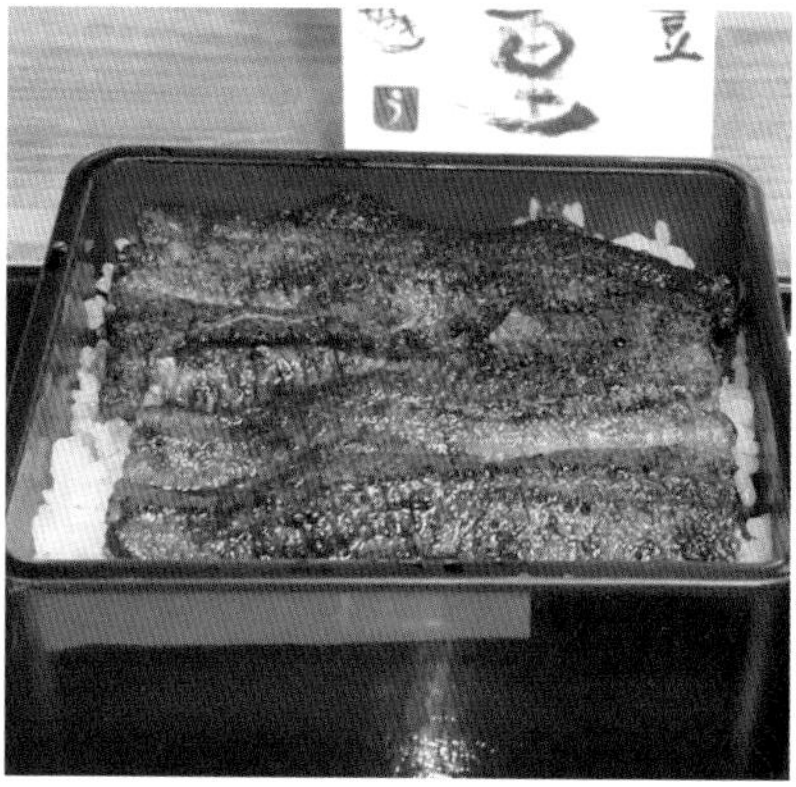

うな重（西）
炭焼《すみや》きの店 うな豊《とよ》（愛知・名古屋《なごや》）
香ばしく焼かれ、たまり醤油や三河みりんを使ったたれで見た目も濃い印象

うな重

重箱、ご飯、蒲焼《かばやき》、山椒《さんしょう》が織りなす一皿の総合芸術。天然うなぎの時代、うなぎは棲《す》む場所によって味わいが異なり、その土地のうなぎに最適のたれが考案され、今に伝わっている。

変わりうな重・うな丼

うな太郎《たろう》
入谷《いりや》鬼子母神門前《きしもじんもんぜん》のだや（東京・入谷《いりや》）
のだやオリジナル。蒲焼に肝焼とうまきがトッピングしてあるうなぎフルコース

一本《いっぽん》うな重《じゅう》
うなぎ四代目菊川《よんだいめきくかわ》（名古屋、東京、大阪など）
四代目菊川オリジナル。老舗問屋が母体だけに、上質なうなぎを主役に据えた長焼重《ながやきじゅう》

白蒲重《しらかばじゅう》
うなぎ創作《そうさく》 鰻樹《まんじゅ》（埼玉・吉川《よしかわ》）
白焼と蒲焼の相盛重《あいもりじゅう》。各地で見かけるが、験《げん》を担《かつ》いで「紅白重《こうはくじゅう》」と呼ぶ店もある

肝《きも》入《い》りうなぎ丼《どん》
炭焼《すみやき》うなぎ　喜多川《きたがわ》（三重・四日《よっか》市《いち》）
名古屋でよく見かける、肝を載せたうな丼。地焼《じや》きなので肝も香ばしい

きんし丼《どん》
逢坂山《おうさかやま》かねよ（滋賀・大津《おおつ》）
かねよオリジナル。分厚いきんし玉子は甘くないので大きくてもペロッと食べられる

うなぎせいろ蒸し
元祖本吉屋《がんそもとよしや》（福岡・柳川《やながわ》）
本吉屋発祥。300年の歴史を誇る柳川の郷土料理。蒸すことでもちもち食感になる

うなぎ職人は、伝統を守りながらも、うなぎをさらにおいしく食べる方法を追求している。すでに地域に根差したものもあれば、東と西、それぞれの良さが融合して、新たな文化も生まれている。

一品《いっぴん》料理

蒲焼を使った一品料理の代表がうざくとうまき。店によっては、寿司、サラダ、巻物など、アイデア満載の一品料理を提供しており、店の特徴を物語る上では、白焼やうな重以上に雄弁なこともある。

うざく
髙嶋家《たかしまや》（東京・日本橋《にほんばし》）
王道のうざく。ざく切りの蒲焼にざく切りのきゅうり

うざく
うなぎ喜代川《きよかわ》（東京・日本橋）
蒲焼を引き立たせるせん切りのきゅうりとたっぷりの合わせ酢

うまき
うなぎ割烹《かっぽう》 にし村《むら》（千葉・松戸《まつど》）
つきじ宮川本廛《みやがわほんてん》で修行し、うまきコンテスト優勝経験もある西村淳司《にしむらじゅんじ》さんのうまき

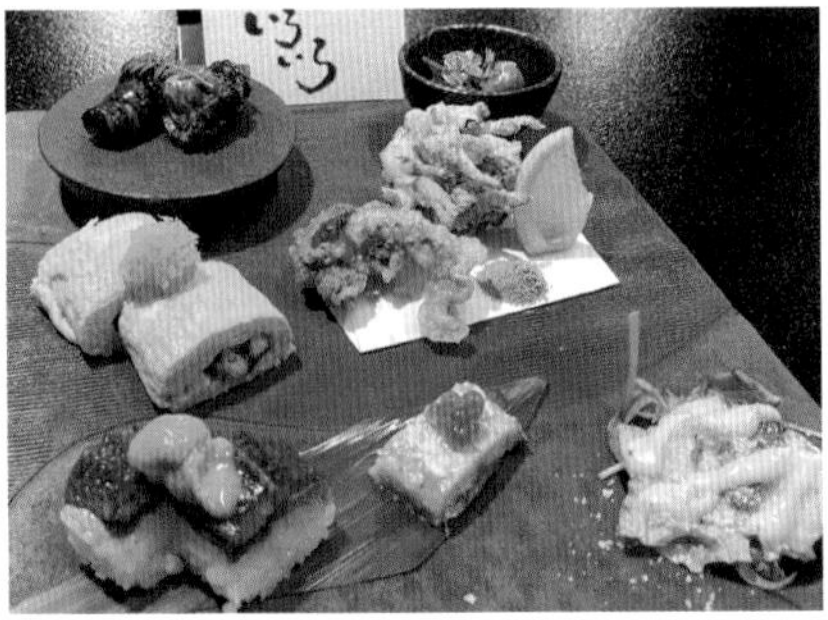

創作料理いろいろ
うなぎ料理専門店《りょうりせんもんてん》 川昌《かわしょう》（埼玉・松伏《まつぶし》）
日本料理の伝統的な技法に、フレンチの技法も取り入れた創作料理

読めばもっとおいしくなる うなぎ大全

はじめに

突然ですが、わたくし「うなぎ」と申します。本名は高城久《たかしろひさし》といいますが、私の友人はみんな私のことを「うなぎさん」と呼びます。

何故かといえば、うなぎが好きで好きで、好きすぎて、人生をうなぎに捧げてしまったから。具体的にどんなうなぎ活動＝うな活をしているかといいますと、「うなぎ大好きドットコム」というサイトを20年運営していま す。また、うな活の一環として、缶バッジやTシャツ、カレンダーなどオリジナルグッズもいろいろ作っています。

作ってどうするかと言いますと、缶バッジは名刺代わりにお渡しし、Tシャツは取材に着ていき、カレンダーはうなぎ屋さんに「飾ってください」と送っていました。ところが、長年活動を続けるうちに、缶バッジは、「ほしい」と先方から求められるようになり、Tシャツを着ていると、「あ、うなぎさん！」とあちこちで声をかけていただくようになり、カレンダーはうなぎ屋さんに頼まれて制作するようになりました。

ただのうなぎ好きのおじさんなのに、皆様によくしていただき、うなぎを好きで本当によかった、といつも感謝しています。本書は私がうなぎ好きの皆様への感謝を込めて、一うなぎファンの目線から、うなぎの魅力をまとめさせていただいたものです。

そもそも私のうなぎ人生のスタートは子どものころでした。幼いころの私は、少し遠くへ外出すると必ず熱を出す虚弱体質《きょじゃくたいしつ》でした。しかし、出先でうなぎを食べた時だけは、熱を出すこともなく、元気に過ごしていたことから、祖母から「うなぎはおまえを元気にしてくれる食べ物だ」と言われ、子どもながらに納得したものです。ご存じのようにうなぎはたんぱく質、ビタミンなどが豊富で栄養価の高い食べ物です。重箱にご飯を盛り、うなぎの蒲焼《かばやき》を載せたうな重は、蓋《ふた》を開けた時の香ばしさ、濃厚なうま味にふんわりやわらかな食感と、魅力をあげればきりがありません。

私が生まれたのは昭和30年代。天然うなぎの漁獲量が減少し始めた時代でした。それに呼応するかのように、静岡・愛知・三重の各県ではうなぎの養殖が盛んになっていきます。特に愛知県三河《みかわ》地方では、1959（昭和34）年の伊勢湾台風によって水田が甚大な被害を受け、稲作からうなぎの養殖へと、基幹産業の転換が図られた時期でした。

ちょうどそのころ、東京湾に流入する江戸川、荒川流域で天然うなぎを扱う川魚問屋が、うなぎ専門店へ業態転換を始めます。私が半世紀以上通い続ける**川魚《かわうお》根本《ねもと》（埼玉県三郷市《みさとし》）**もその一つです。私の母方の菩提寺《ぼだいじ》の近くにあり、墓参りの後は「根本」でお昼を食べるのがお決まりでした。

こうしてうなぎ好きになった私が高校時代まで過ごしたのが千葉県佐倉《さくら》市。現在本業にしている整体治療師《せいたいちりょうし》をめざして修行したのは長野県諏訪《すわ》市。整体治療院を開院したのは千葉県柏《かしわ》市。これらに共通するのは、かつて天然うなぎがたくさん捕れた湖沼《こしょう》が近くにある点です。転居先がすべてうなぎの名産地というのはうなぎの神様のお導きとしか思えません。「産地に名店多し」という定説の通り、各地に行きつけの名店ができました。

ところが21世紀に入り、行きつけのうなぎ屋が数軒閉店してしまいます。うなぎの神様に見放されまいと私は、プログラム言語を独学してうなぎ屋の情報サイトを立ち上げました。それが、うなぎ屋さん応援サイト「うなぎ大好きドットコム」です。2004年の開設当時は飲食店の口コミサイトもまだなかったので、アクセス数も認知度もうなぎ昇り！　テレビ出演などのオファーもいただくようになり、特に土用の丑《うし》の日の前後は、何かとうなぎについて語らせていただく機会が増えました。

本書は、読者の皆様の運気もうなぎ昇りになるようにと、願いを込めて執筆しました。令和のうなぎ事情は、これまでの400年のうなぎ史の中でも、とても面白い局面にさしかかっています。ひとりで食べても、みんなで食べても、子どもから大人まで楽しめて、ちょっとミステリアスでへぇ～が多い、うなぎの世界。その底なし沼の魅力をご紹介しましょう。

この本で皆様が、うなぎをもっと好きになり、うなぎで鰻面《まんめん》の笑みがこぼれてくれたらこんなにうれしいことはありません。

うなぎ大好きドットコム　高城《たかしろ》　久《ひさし》

装幀／熊谷　博人
本文デザイン／望月　文子

※本文中の（Ｐ○）の表記は参照ページです。
※ご紹介する店名の表記は、公式ウェブサイト、もしくは、店主様のご意向に合わせて表記しています。
※本文中の店名（　）内の場所の表記は、市町村名までとしていますが、政令指定都市は区名まで、東京と大阪は町名まで記載しています。

読めばもっとおいしくなる うなぎ大全◆目次

第二章 うなぎ ざっくり四百年史

第三章　うなぎのおいしい食べ方

第四章　うなぎの名店　愛される理由

第五章　うなぎ　産地解剖

第六章　2つのキーワードで読むうなぎ

第一章

これであなたも うなぎ通

うなぎ最新事情

本書を執筆中の２０２３~４年は、うなぎのニュースがたくさん生まれた年でした。その中から、注目度の高いものをあげると、次の４つでしょう。

① 大阪・道頓堀川《どうとんぼりがわ》でニホンウナギを捕獲
② 近畿《きんき》大学がニホンウナギの完全養殖に大学として初めて成功
③ 女性職人の育成に力を入れているうなぎ専門店増える
④ ハイテク機材でうなぎ職人なしのチェーン店登場

これらのニュースを読み解くカギはうなぎの資源問題と職人不足です。

まず、うなぎの資源について。都会の真ん中でニホンウナギが生息していたのは、うれしいニュースです。さらにうなぎの完全養殖（人間が育てた親魚《おやざかな》から仔魚《こざかな》を得る・P66）は大変難しく、２０１０年に現在の国立研究開発法人水産研究・教育機構が世界で初めて成功していますが、それに続く快挙です。

うなぎ屋が廃業するほとんどの原因は、後継者不在、職人不足です。女性職人にはぜひがんばってほしいと思います。ハイテク機器のうなぎチェーン店は、天丼の「てんや」、とんかつ・かつ丼の「かつや」のうなぎ版ですね。私はうなぎを食べる機会が増えるという点で、喜ばしいことだと思います。そしてこれが、職人のいる店へ足を運ぶきっかけになってくれたらうれしいです。なぜなら、職人が焼くうなぎは、確実に、さらにおいしいからです。うなぎ文化は、うなぎなしには語れないのが当然なのと同様に、職人なしには語れません。

さて、コロナ禍はうなぎ職人に影と光をもたらしました。影は、営業自粛を機に引退したベテラン職人が何人もいること。一方、光の部分は時短営業でできた時間を若手職人たちが有効利用したこと。

わたべ（東京都文京《ぶんきょう》区《く》小石川《こいしかわ》）は、三代目兄弟が曜日限定のキッチンカーでの営業を始めました。しかもキッチンカーで焼ける「江戸前《えどまえ》地焼《ぢや》き」という新メニューを開発したのです。「わたべ」はミシュランガイド掲載の予約が困難な店。コロナ禍でなければ、このような時間はとれなかったはずです。それに触発されたかのようにほかの若手職人も新メニューを開発したり、勉強会を開いて技術や情報交換をしました。関東の若手職人の店に関西風メニューが増えていたらその効果かもしれません。

うなぎ資源とうなぎ職人、うなぎ文化の継承にはどちらも欠かせません。

02 うなぎのサイズはPで表す

魚の数え方はいろいろあります。うなぎの場合は1匹、2匹と数えるのが一般的ですが、活鰻《かつまん》（生きているうなぎ）は頭から尾まで揃っているので1本、2本と数えることもあります。また、うなぎ屋では料理の材料なので「尾《び》」と数える場合もあります。では、うなぎのサイズを表す規格をご存知ですか。答えはP《ピー》。Pはピースの略で1kgあたり何匹入っているかを表したものです。3P《さんピー》なら3匹、4P《よんピー》なら4匹。4Pより3Pのほうが重い＝大きいうなぎです。この仕分け作業は、うなぎ問屋の重要な仕事です。

うなぎ問屋と言われて「うなぎ専門の問屋があるの!?」と驚かれた方も多いと思います。うなぎ問屋には大きく分けて4つあります。

① シラスウナギ（赤ちゃんうなぎ）をシラス漁師から買って養鰻場《ようまんじょう》に卸《おろ》すシラス問屋
② 養鰻場から活鰻を仕入れて各地へ卸す産地問屋
③ 産地問屋から活鰻を仕入れて専門店へ卸す消費地問屋
④ 輸入した活鰻を消費地問屋へ卸す輸入問屋

問屋ですからうなぎの卸売《おろしうり》が主な仕事ですが、他にもさまざまな役割を持っています。私たち消費者の一番身近にあるのが消費地問屋ですが、日常生活の中であまり目にすることのない消費地問屋の仕事を**鰻問屋もがみ（千葉県柏市《かしわし》）**を例に覗《のぞ》いてみましょう。

問屋の朝は早く、真夜中から始まります。まず、配送された活鰻を梱包《こんぽう》されたビニール袋から出す袋開《ふくろあ》け。この数が半端ない。問屋では20kgを1本と数え、少ない日でも25本にもなります。繁忙期は想像を絶する数となるのです。次に袋開けしたうなぎを立てる。問屋やうなぎ屋ではうなぎを活かしている場所を立場《たてば》といい、立場に移す作業を立てるといいます。5kgに分け養鰻篭《ようまんかご》に入れて重ねて井戸水をかけ流し、鮮度を保ちます。続いて検品。この作業は配送日以外も必ず行う大事な作業。うなぎの鮮度が保たれているか、弱っていないかを1匹ずつ確認して検品します。そして、お得意さんの注文に合わせて、仕分け・選別作業。産地問屋でおおまかに仕分けされた活鰻をさらに得意先の要望に沿って、素早く痛まぬように手作業で選別し、配送します。最後に、うなぎ捌《さ》き。うなぎ捌きはとても体力のいる作業です。若い職人でも腰痛や肩こりに悩まされており、高齢のベテラン職人となればなおのこと。自ら捌くことが難しくなった職人を手助けするのも問屋の大切な仕事です。

このように問屋は、おいしいうなぎを食べるためには欠かせない存在です。

03

うな重の重箱サイズの秘密

江戸時代末期、丼《どんぶり》に盛ったご飯の上に蒲焼《かばやき》を載せる「うなぎめし」が、江戸で大流行します。今で言う「うな丼」です。蒲焼が冷めずにやわらかいまま保てると評判で、明治に入り、東京で暮らすことになった旧大名家からも出前の注文が入るようになり、華族様に丼じゃあ失礼だと漆塗《うるしぬ》りのお重に入れたのが「うな重」の始まりといわれています。銅壺《どうこ》という二段式のお重の下の段にお湯を入れて冷めない工夫もしていたとか。

それを見た見栄っぱりの江戸っ子に「おいらもうな重が食いてぇ」と言われて、店でもうな重を出すようになります。でき立てなので冷める心配もありませんから一段のお重。今のスタイルのうな重の登場です。蒲焼の大きさもお重にぎゅうぎゅうに入っていたら野暮《やぼ》だってんで、お重からちらりとご飯が見える大きさが好まれたとか。これが5～6Pのうなぎでした。味の面でもほど良く脂がのり、調理の面でも硬すぎない皮は扱いやすかったのでしょう。やがてこの大きさが定着しました。当然、蒲焼の大きさに合わせて、お重の大きさも見栄《みば》え良く収まる大きさが主流になります。

しかし、天然うなぎの時代、５～６Ｐのうなぎが需要分捕れるとは限りません。そこで職人たちはさまざまな串の打ち方を考えました。

【標準】本網串《ほんあみ》　５～６Ｐ１尾を開き、半分にして半身《はんみ》４つ一組で串を打つ→うな重一人分
①四分一串《しぶいち》　４Ｐ３尾を開き、１尾を４分割して半身３つ一組で串を打つ→うな重四人分
②ポン半《はん》串　３Ｐ１尾を開き、１尾を６分割して半身３つ一組で串を打つ→うな重二人分
③小一《こいち》　１kg超の特大サイズの場合、適宜カットして適宜組み合わせて串を打つ→適宜

上手い職人はどんなサイズも無駄なくすっぽり収めます。うなぎ職人、恐るべしです。

現在は、養殖技術の発達で大きく育ててもやわらかくおいしいうなぎが増えたので、専門店でも大きめのうなぎを使う傾向があります。しかし、お重のサイズは店によってさまざまです。大きいお重に切り替えて伝統的な見映えを保つ店。従来のお重に蒲焼を載せて「うなぎはみ出てる～！」とＳＮＳでバズる店もあり、何が功を奏するかわかりません。

愛知県の老舗うなぎ卸問屋が運営する**うなぎ四代目《よんだいめ》菊川《きくかわ》**は、フラッグシップメニューの一《いっ》本鰻《ぽんうなぎ》が冷めにくくちょうどよく収まるオリジナルの器を開発して提供（Ｐ６）しています。これが好評で、２０２０年には東京進出も果たして全国に店舗を拡大中です。

器ひとつとっても時代によって、伝統と革新が入り混じるうなぎ業界なのです。

04 うな重の基本　関東関西の違い

お馴染《なじ》みの料理でも歴史や風土が異なる関東と関西で大きな違いがあります。うなぎの蒲焼もそのひとつです。関東風は、背開《せびら》きにして頭を落とし半分に切り竹串《たけぐし》を打ち、素焼きにしたうなぎを蒸してから焼き上げます。関西風は、頭を落とさずに腹開《はらびら》きにしたうなぎに鉄串《かなぐし》を打ち、蒸さずに焼き上げます（P2〜3）。

関東と関西では捌き方から違います。武士が多かった江戸（関東）では腹開きは切腹《せっぷく》を連想させるので背開きになったといわれています。一方、商人文化が根付いていた関西では信頼関係を築くための「腹を割って話す」から腹開きになったといわれています。もっともらしく聞こえますが、『守貞漫稿《もりさだまんこう》』（P84）には「江戸は腹開き」とあります。よく考えてみれば、関東でも他の魚はワタを取るので腹を開きますし、何が真実かは、藪《やぶ》の中。

そして、関東風と関西風の大きな違いは蒸しを入れるかどうかです。関東では蒸してやわらかくなったうなぎが串から落ちにくい竹串が用いられています。また、関西では焼きにかける時間を少しでも短縮するために熱伝導率《ねつでんどうりつ》の高い鉄串を使用します。

串の打ち方が違えば焼き方も異なります。関東は余分な脂《あぶら》を落とし、うま味を閉じ込める素焼《すや》きの工程が重要。火加減を見極めながら何遍も返しつつ焼くので「万遍返《まんべんがえ》し」ともいわれています。関西は焼きだけでふっくら仕上げるため、正に火との格闘です。**吉塚《よしづか》うなぎ屋《や》（福岡県福岡市博多区《はかたく》）**では、焼きながらもみ、たたく「こなし」という技を編み出し、その技を修めた**うなぎ居酒屋《いざかや》 西口 商 店《にしぐちしょうてん》（宮崎県宮崎市《みやざきし》・P3）**などでも用いられています。

肝心の味わいの違いですが、関東風は蒸すことで余分な脂が落ち、やわらかくふっくらと仕上がります。関東風の本場・東京では、それに合わせて甘みを抑えたたれを使います。関西風は、蒸さずに焼き上がるために外がパリッとした食感が楽しめます。脂分多めのジューシーなうなぎに負けぬよう、甘めでとろみがあって、こくがあるたれが主流です。

ときどき関東風、関西風、どちらがおいしい論争が勃発《ぼっぱつ》します。私は、どちらもおいしいと答えます。ラーメン好きの方なら今日はあっさり昔ながらの中華そばが食べたい時もあれば、背脂こってりのとんこつラーメンが食べたい時もありますよね。私にとってうなぎも同じです。

おいしさのバリエーションが多いほうが人生は口福《こうふく》になります。皆様もぜひ双方のおいしさを体感してみてください。

015

うな重の松・竹・梅の違い

うなぎ屋でメニューを見て、松《まつ》・竹《たけ》・梅《うめ》とか特上《とくじょう》・上《じょう》・並《なみ》とかどれを頼もうかと迷ったことはありませんか。悩んだ挙句「今日は特別だから奮発して一番高いのを頼もう」という人もいれば、「真ん中が無難だから竹にしよう」という人、ちょっぴり見栄を張って「並じゃ恥ずかしいから上にしよう」なんて決めている人もいることでしょう。

では、そのお悩み解決します。どれだけうなぎを食べたいか、で決めてください。何故ならば、ほとんどのうなぎ屋ではうな重の値段の違いは蒲焼の量の違いだからです。どのくらいの量かわかないですって!? そうですね。写真がないこともありますからね。その時は店の方に聞きましょう。丁寧に教えてくれるはずです。もし、想像以上に量が多かった場合は、余った分はお持ち帰りにできるか相談しましょう。お持ち帰りにしたうなうな重は、うなぎのエキスやたれがご飯にしみて、できたてとは違う味わいが楽しめます。

中には、量の違いだけでなく、質の違ううなぎを使っている店もあります。そういう場合はお値段も通常のうな重より高めですからメニューを見れば一目瞭然です。天然うなぎや、特別のこだわりをもって育てたブランドうなぎを扱っている店もあります。

歴史があり有名なブランドうなぎには、養鰻場 **共水《きょうすい》（静岡県焼津市《やいづし》）**の**大井川《おおいがわ》共水《きょうすい》うなぎ**、うなぎ問屋 **忠平《ちゅうへい》（千葉県銚子市《ちょうしし》）**の**うなぎ坂東太郎《ばんどうたろう》**などがあります。どちらも飼育環境や餌を研究して天然うなぎに近い味わいに育てています。

また、うなぎ資源の減少によって養鰻家は以前にも増してうなぎを愛情深く大切に育てています。育て方のこだわりを全面に出してブランド化を図る養鰻場も出ています。主な例をあげると、**高木養鰻場・齊藤養鰻場（宮崎県宮崎市）**の**佐土原和匠《さどわらわしょう》うなぎ**、**三河淡水《みかわたんすい》グループ（愛知県西尾市《にしおし》）**の**三河《みかわ》鰻《うなぎ》咲《さき》**、**中村養鰻場（宮崎県児湯郡新富町《こゆぐんしんとみちょう》）**の**味鰻《あじまん》**などがあります。

ブランドうなぎは、希少性が高く限られたうなぎ屋でしか食べられません。もし見かけたら頼んで、味わってみてはいかがでしょうか。また、紹介したブランドうなぎは各ウェブサイトで蒲焼などの通販もあります。

画期的な例としては、**やなのうなぎ観光荘《かんこうそう》（長野県岡谷市《おかやし》）**が**夏目《なつめ》商店（愛知県豊橋市《とよはしし》）**とともに開発した**シルクうなぎ**があります。地元岡谷市の特産品・シルクの原料となる蚕《かいこ》のさなぎをうなぎの餌にできないものかと、うなぎ屋さんの発想から生まれたブランドうなぎです。オンラインストアで購入も可能です。

06 うなぎが一番おいしい季節

魚は産卵のためにたくさんの栄養を蓄えます。ですから魚は、一般的に産卵前が最もおいしいといわれています。うなぎも例外ではありません。秋から初冬は脂のりが良く、食感もやわらかくなります。天然うなぎに関しては、現在もその常識が生きています。

川で成長したうなぎは、背中は深緑色、腹は黄色味がかっていて「黄うなぎ」と呼ばれます。秋から初冬にかけて川を下り、産卵のために海へと向かううなぎは、身体《からだ》が黒ずんで光沢を放つ「銀うなぎ」へと変わります。体側の模様が織物の綸子《りんず》に似ているので「綸子うなぎ」とも呼ばれます。また、川を下ることから「下《くだ》りうなぎ」ともいわれ、天然うなぎの中でも珍重されています。**うなせん（千葉県香取市《かとりし》）**の店主・菅谷俊夫《すがやとしお》さんは、うなぎ漁師でもあります。自ら捕った利根川下《とねがわくだ》りうなぎを自ら調理して極上の蒲焼に仕立てます。この時期は、菅谷さんのもとへ利根川下りうなぎを求めて全国からうなぎ好きが集まります。

平賀源内《ひらがげんない》が広めた「本日丑《うし》の日」（P56）によって、うなぎのおいしい季節論争は複雑化しています。ご存じの方も多いと思いますが、現在流通している活鰻の99％が養殖うなぎです。しかも1970年代に普及したハウス式温水養殖池（P63）のおかげで、夏の土用の丑の日前に大量出荷が可能になりました。栄養価の高い餌を与えて育てるので、脂のりも良く、やわらかいうなぎです。多くの方がうなぎに抱いている「やわらかくておいしい」というイメージは、夏の養殖うなぎのことなのです。

ひと昔前まで、秋から冬以降の国産養殖うなぎはうま味が増す反面、皮が硬くて調理がしにくく職人泣かせでした。しかし、最近は養殖技術の進歩とこだわりを持ってうなぎを育てる人たちのおかげで、秋以降もおいしい養殖うなぎが出荷されるようになりました。養鰻場を営んでいる方を池主《いけぬし》さん、管理している方を池守《いけもり》さんと呼びますが、私が出会った池守さんの中には並々ならぬこだわりを持っている方が多く、これは池守というよりも養鰻家《ようまんか》と呼んだ方がしっくり来ると、私は「養鰻家」と呼び始めました。うなぎファンの中には、推しの養鰻家のうなぎを出荷順に一番仔《いちばんこ》、二番仔《にばんこ》と呼んで味わいの違いを楽しむ方もいるほどです。

結論から言うと、現在は、夏も冬も一年を通じてうなぎがおいしく食べられるということです。つまり、「うなぎは夏」と限定せずとも、年間を通して四季折々の味わいの違いを楽しめるというわけなのです。そもそも土用は年4回ありますから、うなぎ大好きな筆者としては、年4回、季節ごとの土用に、うなぎを楽しむことをお勧めします。

07 そもそもうなぎミステリー

回遊魚《かいゆうぎょ》と聞くと海の中を泳ぎ回っているマグロやカツオを思い浮かべる方が多いのではないでしょうか。実はうなぎも回遊魚の仲間です。回遊魚の中にも異なる呼び名があります。川と海を行き来する魚を通《とお》し回遊魚、サケのように海で育って川で産卵する魚を遡河《そか》回遊魚、うなぎのように川で育って海で産卵する魚を降河《こうか》回遊魚といいます。ニホンウナギは、どこの海で産卵するのか長年の謎でした。２００５年にやっと塚本勝巳《つかもとかつみ》名誉教授（東京大学大気海洋研究所）によって、マリアナ諸島西方海域と、判明しました。

産まれたばかりの赤ちゃんうなぎはレプトセファルスといって透明の細長い小さな木の葉のような形をしています。レプトセファルスは海流に乗って太平洋を北上しながらシラスウナギへと変態します。卵から孵《かえ》って約半年後、中国や台湾、日本、韓国の河口に辿り着きます。河口付近で漁師に捕られたシラスウナギは、養鰻場でおいしい養殖うなぎに育てられます。この関門を潜《くぐ》り抜けたシラスウナギの八割は餌が豊富な河口付近で育ちます。河口付近の海で育ったうなぎを海うなぎ、河口付近の海水と川の水が混ざった場所で育ったうなぎを汽水《きすい》うなぎと呼びます。競走に敗れここを棲まいにできなかったうなぎは川を上《のぼ》ります。川で育ったうなぎを文字どおり川うなぎといいます。川は下流のほうが餌が豊富ですが、ライバルも多いのでさらに上流を目指すうなぎもいます。しかし、堰《せき》や水門という人間の造ったトラップが待ち受けています。コンクリートではなく、土や岩ならばうなぎは登れることをご存じですか。水の中ではえら呼吸をしますが、身体《からだ》のヌルヌルが乾くまでは皮膚呼吸ができるのです。だから滝だって登ります。鯉の滝登りの絵のようにゴウゴウと水が落下する瀑《ばく》布《ふ》の中ではなく、滝脇《たきわき》の岩場をゆっくりと登ります。「うなぎ昇り」の語源は定かではありませんが、私は、滝口で岩場を登るうなぎを目撃した人が「うなぎ昇りだ」と言ったのが始まりだったのではないか、と思わずにいられません。

大人になったうなぎは成長の過程で、黄うなぎ、銀うなぎと名前を変えますが（P32）、生殖活動の詳細はわかっていません。うなぎは実は雌雄《しゆう》同体。産卵が近づいたうなぎだけが雌化《めすか》します。それが、産卵のために川を下る下りうなぎ。大きく太く脂のりも抜群なので、漁師の格好の獲物ですが、ここで難を逃れたうなぎはまた大海原を２０００㎞もの旅をして産卵場所に向かいます。寿命は20年ともいわれ、体長1メートルを超えるものも。うなぎはとてもミステリアスで、まだまだ謎の多い生き物なのです。

08 うなぎの種類と世界のうなぎ料理

世界にはニホンウナギを含めて19種類のうなぎが生息しているといわれています。このうち特に食用とされているのは、主に、日本人が食べ慣れているニホンウナギ（ジャポニカ種）とヨーロッパウナギ（アンギラ種）、アメリカウナギ（ロストラータ種）、東南アジアに生息するビカーラ種、オオウナギ（マルモラータ種）などです。

日本で最もポピュラーなうなぎ料理といえば、蒲焼ですね。これは日本発祥の日本独自の料理です。では、海外ではどんなうなぎ料理が食べられているのでしょう。欧米では燻製《くんせい》にして食べることが多いと髙崎《たかさき》竜太朗《りゅうたろう》（国立研究開発法人水産研究・教育機構）さんに教えてもらいました。自称ウナギストの髙崎さんは、大学院に通いながら海外のうなぎ視察をするうなぎ好き。その帰国直後に興味深い話をたくさん聞きました。

イギリスで塩味のゼリーの中に茹でたうなぎの入った「うなぎのゼリー寄せ」なる伝統料理を食べた話の中で「生臭くてお世辞にもおいしいとは思えませんでした。よっぽどのうなぎ好き以外はお勧めしません。でも、高城さんなら大丈夫」と言われたのが今でも印象に残っています。私はよほどのうなぎ好きということでしょう。

フランスのうなぎ料理といえば、ロワール地方の伝統料理「うなぎのマトロート」です。ロワール川で捕れたうなぎを名産の赤ワインで煮込んだ料理です。私もレシピを入手して作ってみました。ただ、生のうなぎではなく蒲焼を使ったので本場の味とは違ったかもしれませんが、ビーフシチューのうなぎ版という感じでおいしかったです。

スペインでは「アングーラス・アル・アヒージョ」が有名だそうです。アヒージョなのでオリーブオイルとにんにくの煮込み料理ですが、うなぎはうなぎでもシラスウナギを使うそうです。日本なら、どれだけの値段になることやら。

韓国にもうなぎ専門店があります。各テーブルに用意された炭火焼の鉄板でうなぎを焼き、コチジャンや醤油だれをつけてサンチュで巻いて食します。焼肉ならぬ焼うなぎが韓国流。ちなみにビールやソジュ（韓国焼酎）のおつまみにすることが多いそうです。

中国料理には、蒸してから甘辛い醤油で煮込む「鍋焼河鰻《グオシャーオハーマン》」、うなぎの姿蒸し「清蒸河《チンジョンハー》鰻《マン》」などがあります。一方で、名古屋のうなぎ店で隣の席になった中国人旅行客曰く、「中国の日本式うなぎ屋は毎日が丑の日状態」だそうです。あまりにもおいしかったので、本場のうな重を食べに来たとのこと。昨今、日本の蒲焼は海外でも人気なのです。

09 キーワードはふっくらやわらか

うなぎは最も皮が硬い川魚です。皮が硬いとおいしさのハードルも、料理の難易度もあがります。つまり、うなぎ料理の歴史は「いかにふっくらやわらかに仕上げるか」の歴史でもあるのです。各地のうなぎ料理を知ると、先人たちの知恵に敬服せざるを得ません。

関東では明治に入り素焼きの後に蒸す工程が加わり、現在は「関東風といえばふわっととろける食感」と多くの方に認識される技法が確立しました。とはいえ、関東でも別の方法でやわらかにする方法も存在します。

一つは、五右衛門《ごえもん》。素焼きしたうなぎを蒸す代わりに釜茹《かまゆ》でするのでこの名がつきました。蒸すよりも短時間でやわらかくなり、風味豊かでぷりっとした食感になります。東京近郊のうなぎが手に入る宿場町や門前町で用いられた製法で、以前は千葉県佐倉市《さくらし》、成田市《なりたし》あたりで見かけましたが今では少なくなりました。**小島屋《こじまや》（埼玉県さいたま市南区《みなみく》）**、**八《はち》べえ（東京都江東区《こうとうく》亀戸《かめいど》）**などが、現在でもわずかにこの技法を守っています。

また、**山田《やまだ》うなぎ本店（千葉県香取市《かとりし》）**では、素焼きしたうなぎを箱に入れ、余熱で蒸した後に備長炭《びんちょうたん》で焼き上げる「箱蒸《はこむ》し」という独自の技法を使っています。

関東にはもう一つ、捌いたうなぎを素焼きにせず、生のまま蒸す生蒸《なまむ》しという製法があります。うなぎの風味が残り、ぷりっとした食感になります。私にとって原点であり半世紀以上通う**川魚根本《かわうおねもと》（埼玉県三郷市《みさとし》）**が生蒸しです。他には**川越 いちのや（埼玉県川越市《かわごえし》）**、**赤羽 川栄《かわえい》（東京都北区赤羽《きたくあかばね》）**、**芳野屋《よしのや》（千葉県 柏市《かしわし》）**などがこの製法です。

西に目を転じると、大阪といえば「まむし」です。**本家柴藤《ほんけしばとう》（大阪府大阪市中央区高麗橋・P102）**が発祥といわれるこの料理は、一見ただの丼飯《どんぶりめし》。ご飯の中に蒲焼がいらっしゃいます。語源は、ご飯の間で蒸すから「間蒸《まむ》し」。現在はご飯の上にも蒲焼が載っています。載せたうなぎのパリふわと、まむしのやわらか食感の両方が楽しめます。

九州は「せいろ蒸し」。**元祖本吉屋《もとよしや》（福岡県柳川市《やながわし》・P7・P104）**は、300年の歴史を誇ります。現在は柳川の郷土料理なので、市内のほとんどのうなぎ屋で食べられます。ご飯にたれをまぶして蒸し、焼いた蒲焼を錦糸卵とともにご飯に載せて再び蒸しあげるので、うなぎはふっくら、ご飯はもっちり、うなぎのうま味とたれがしみています。長崎県諫早《いさはや》名物は「楽焼《らくやき》うなぎ」。**うなぎ・割烹 北御門《きたみかど》 諫早本店《いさはやほんてん》（長崎県諫早市）**などで食べられます。蒸さずに焼き上げた蒲焼を二重底になった楽焼の器で蒸すことでとろけるやわらかさになります。

10 通はここでうなぎ屋を選ぶ！

通《つう》などと畏《おそ》れ多い言葉ですが「うなぎ屋さん選びのポイントは？」と、雑誌の取材などでよく聞かれます。そんな質問に私は決まって「ライブキッチンの店」と答えます。つまり、調理風景が見られるうなぎ屋です。

現在は以前に比べてうなぎ屋の情報が得やすくなりました。店側はウェブサイトに店のこだわりやメニューなど載せていますし、客側も口コミサイトなどで店の評価を投稿しています。しかしこれだけでは、自分の価値観に合う店かどうかを判断するのに充分とはいえません。そこでライブキッチンなのです。

「串《くし》打《う》ち三年、捌《さ》き八年、焼《や》きは一生」というように職人の技は嘘をつきません。鮮やかな捌き方、丁寧な串打ち、見とれてしまう焼きをするうなぎ屋は、自分の口に合わない可能性はあるものの、ほぼ間違いなく美味《うま》いのです。

川豊《かわとよ》**（千葉県成田市《なりたし》）**と**駿河屋**《するがや》**（同市）**は、成田山参道でひと際人だかりができている店です。この店では参道からうなぎを捌く様子が見られます。職人技が多くの人にワクワク感を与える証拠です。

うなぎ田代《たしろ》（愛知県瀬戸市《せとし》）も店頭から捌き、串打ち、焼きと豪快な姿が見られることから人気です。**うなぎ量深《りょうしん》（茨城県笠間市《かさましし》）**は、店頭で焼く様子を動画投稿したところたちまち人気店になりました。

座ってゆっくりライブキッチンを楽しみたい方には**うなぎ屋酒坊《しゅぼう》・画荘《がそう》 越後屋《えちごや》（埼玉県所沢市《ところざわし》・P114）**、**うなぎ時任《ときとう》（東京都港区麻布十番《みなとくあざぶじゅうばん》）**、**う奈ぎ道場《どうじょう》（千葉県松戸市《まつどし》）**のカウンター席を予約することをお勧めします。この3店は、店主との話を楽しみながら調理の一部始終が見られます。うなぎの知識が深まり、見て感動、食べて口福《こうふく》と三拍子揃った醍醐味《だいごみ》はうなぎ好きにはたまりません。

このことをわかった上で、新規出店する店の中には、店舗設計にライブキッチンを入れているところも出てきています。

私の息子は、現在老舗うなぎ店で独立を夢見て職人の修業をしています。きっかけは、転職を考えている時に見たうなぎを捌く職人の姿が「かっけえ」と感じたから、と言っています。ライブキッチンを見て職人の姿に憧れ、うなぎ文化の担い手になってくれる若者が出てくれたらこんなにうれしいことはありません。

《其の一》

鰻面《まんめん》の笑《え》み

うなぎ量深《りょうしん》　店主　馬場万作《ばばばんさく》さん

10年ほど前、笠間稲荷《かさまいなり》をお参りした際に、うなぎの香りにつられて店頭を覗いたら、馬場さんから「あ、うなぎ大好き！」と声をかけていただいたのが出会いです。いろいろお話を伺ううち、閉店した武蔵境《むさしさかい》（東京都武蔵野市《むさしのし》）の名店「田川《たがわ》」からたれを受け継いだと聞き、そのドラマに感動しました。和食の店として成功していたにも関わらず、突然商売替えをしてうなぎの世界に飛び込んだ馬場さんの決心は相当なものだったのでしょう。わずか数年で人気のうなぎ専門店に変容を遂げました。これ以上ない最高の味なのに、伺う度においしくなっていく末恐ろしい店です。

笠間稲荷の裏通り。団扇をあおぐ心地よい音に惹かれて覗くと、格子戸の向こうの炭焼き台で店主がうなぎを焼いているのが見える。朝 7 時 30 分予約開始後、9 時には予約完売になる人気店

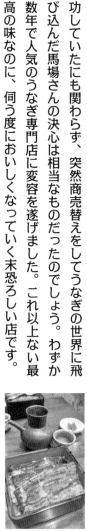

質問一◉　自己紹介をお願いします

笠間稲荷《かさまいなり》の裏で**うなぎ量深《りょうしん》（茨城県笠間市《かさまし》）**をやっています。もともと両親が始めた和食の店を20歳で継いで、40歳まで和食の料理人をやっていました。40歳で、修業時代にお世話になった店「田川」のたれを受け継ぐことになり、うなぎを一から勉強しました。それから10年。今、だんだんと自分の形ができてきたな、というところです。

質問二◉　たれを受け継いだ経緯を教えてください

18歳で上京して3年間修業をしました。そろそろ3年が終わろうかという時に、店の親方から、3ヵ月だけ武蔵境の「田川」といううなぎ屋に行け、と言われました。

当時の修業と言えば、手取り足取り教えてくれるなんてとんでもなく、手も足も出る状態。私は、不器用もいいところで、人が3回でできるところを、30回やってできるかどうかのドンケツでしたから、田川の親仁《おやじ》にはとにかく怒られました。昭和の職人ですから、おっかなかったですよ。夜の営業が終わって寝るのは12時過ぎ。すると3時にはトラックで活鰻が届くんです。透明なビニール袋の中で泳いでいるのを、店の前に置いていっちゃう。だから、店の玄関に近い所に寝て、届いたらすぐ中に入れていました。

3ヵ月いたとは言っても、うなぎに触ったことは一度もありませんでした。ただ一回だけ、親仁に「お前うなぎ好きか?」と聞かれたので、「大好きです」と答えたら、作ってくれたことがあって。それが、あまりにうまくて。それまで自分が食べてきたうなぎとは全然違って、あっさりした味でした。「こんなにうまいものが世の中にあったのか!」っていうくらい、うまかった。たったの一回なのに、その一回が強烈に記憶に残りました。

その後実家を継いで、和食をやっていたとき、武蔵境の商店会の旅行とかで、親仁がうちの店に来てくれたことがありました。その時に商店会のみなさんの前で「今までずい分若いのを使ったけど、この男が一番根性があった」って言われたんです。それまで褒められたことなんて一度もなかったのに。

店を継いで20年、親仁と話したのはその一度きり。それが40歳になったある日、突然電話がかかってきて、「おう、俺だよ」と。すぐに田川の親仁だとわかりました。「お前、今何やってんだ?」と聞かれて「和食です」と答えると、「刺身とか天ぷらか?」と聞くので、「そうです」と答えたら、突然「お前、今日からうなぎ屋になれ」と。……何を言ってるんだ?と思いましたが、親仁に言われたら、イエス以外の返事はありえませんから「わかりました」と答えたら、「すぐたれ取りにこい」と言われました。

後で聞いたら、その時すでに店を閉じていて、都内にはたれを引き継いで店をやりたいという人がけっこういたのに、親仁はそれを全部断っていたという話でした。そこから、40歳にして、捌き、串打ち、焼き、たれ作り、と親仁の特訓をうけました。

質問三◉ うなぎのどこが好きですか?

一つの食材で、内に秘めた味がこんなに深いんだ、と毎日びっくりしています。最初はうなぎは簡単だと思っていました。和食は煮物、揚物、焼物といろいろありますが、うなぎは串打って焼くだけですから。でも、やる度に難しくなっていくんです。普通はやる度に簡単になっていくはずなのに、やればやるほど、気づいちゃうんです、「俺、全然だめだな」って。どんどん絶望感が出てくる。でも、だからこそ、またやりたくなる。「量深」という店名は私の父がつけたものですが、まさにうなぎは「量《はか》り知《し》れないほど深い」ので、うなぎ屋になってから、店の名前の意味が、身にしみてわかるようになりました。

質問四◉ 今後の目標を教えてください

和食をやめてうなぎ一本でやって行く! と決めたとき、親仁に「日本一のうなぎ屋をめざします」と約束しました。家族にもお客様にも反対されましたが、親仁はすごく喜んでくれました。その親仁は、3年ほど前に「あとはまかせた」と言って亡くなりました。

うなぎという素材を、一番おいしく仕上げたい。関東だろうが関西だろうが、形式にこだわらず、ここでしか食べられない、最高のスタイルを作りたいと思っています。

質問五◉「うなぎ」とは、あなたにとって何ですか？

全然到達できないもの。毎日違うから、毎日面白い。今私がうなぎ屋をやっているのは奇跡みたいなもの。本当にうなぎに出会えてよかったです。仕事をやっているという感覚はまったくないです。疲れたなとか、今日はやりたくないなと思ったことは一度もないです。365日働いていても何ともない！うなぎは、私にとっては「よろこび」ですね。

うなぎとは「よろこび」

2024年3月17日「うなぎ量深」にてインタビュー

「鰻面の笑み」の色紙を手にした馬場万作さん

第二章

うなぎざっくり四百年史

01 万葉集にも登場するうなぎ

石麻呂《いしまろ》に 吾《わ》れもの申《もを》す 夏痩《や》せに よしといふものぞ 鰻《むなぎ》とり食《め》せ
痩《や》す痩すも 生けらばあらむを 将《はた》やはた 鰻を漁《と》ると 河に流れな

この二首は万葉集に載っている大伴家持《おおとものやかもち》の歌です。意訳すると右は「石麻呂さん、夏痩せによく効くといわれているうなぎを捕って食べなさい」というもの。そう言っておきながら左では、「うなぎを捕ろうとして川に流されるくらいなら痩せても生きているほうがましですよ」とは、万葉歌人のおちゃめなセンスが垣間見《かいま》見られます。いずれにせよ、このころからすでにうなぎが滋養強壮に効果のある魚として知られていたことがわかります。

日本のうなぎ食文化は約5000年前の縄文時代には始まっていたと推測されています。縄文時代に作られたとされる数ヵ所の貝塚からうなぎの骨が発掘されており、さらに最近の陸平《おかだいら》貝塚（茨城県美浦村《みほむら》）の調査では、縄文時代後期にうなぎの消費量が急増したことや、土器でうなぎを煮て食べていたこともわかっています。

文献もいくつか残っています。1399（応永6）年に著された『鈴鹿家記《すずかかき》』は、京都吉田神社の神官であった鈴鹿家の記録で、ここには「昔は鰻を長きまま丸で串にさして塩を付け焼きたるなり、その形川辺などの生たる蒲《かま》の花の形によく似たる故《ゆえ》にかばやきと云《い》いしなり」とあります。鎌倉時代は丸のうなぎを串刺しにして塩焼きにしていたことがわかります。蒲焼の語源は現在も諸説あるものの、これによると、形が蒲《がま》の花（穂《ほ》）に似ていたので、かばやきといわれていたとのこと。

室町時代のものといわれる『大草家料理書《おおくさけりょうりしょ》』には「宇治丸《うじまろ》かばやきの事。丸にあぶりて後に切也《きるなり》。醤油と酒と交《まじえ》て付《つく》る也。又山椒味噌付《さんしょうみそつけ》て出しても吉《きち》也。」とあり、宇治川で捕れたうなぎを丸のまま焼いてから切って、醤油と酒または山椒味噌をつけて食べていたと書かれています。

どちらにも「かばやき」の記述がありますが、現在の蒲焼とは、調理法も見た目も異なるようです。**日本橋《にほんばし》いづもや（東京都中央区日本橋《ちゅうおうくにほんばし》）**では、現在の蒲焼と区別するため「蒲《がま》の穂《ほ》焼き」と命名して当時の食べ方を再現しています（要予約）。私も「いづもや」で食したことがありますが、濃厚なうま味の鮎の塩焼きを食べているような印象でした。そして、うなぎは川魚だったのだ、と最確認しました。現在は「いづもや」以外でも、食べられる店が増えています。うなぎ好きなら、今昔のかばやき食べ比べも乙《おつ》なものです。

02 江戸周辺でうなぎが捕れたワケ

時代は飛んで、江戸時代の話です。1590（天正18）年、徳川家康《とくがわいえやす》は駿府《すんぷ》から江戸に入ります。江戸期の侍《さむらい》文化を書した『落穂集《おちぼしゅう》追加』によると、当時の江戸城界隈は、「海岸の波打ち際にあり、いたる所に葦《あし》がおい茂る湿地」だったと伝えられています。江戸は「江《え》戸前島《どまえじま》」とも呼ばれる半島状の地形でした。現在の日比谷《ひびや》あたりも日比谷入江と呼ばれ、内陸まで海が広がっていました。

家康が最初にとりかかったのは運河の開削《かいさく》工事でした。まず、江戸前島のつけ根を横切る形に道三堀《どうさんほり》を掘ります。この運河は江戸の物資運搬に活用されます。日比谷入江の突き当たりと石神井川《しゃくじいがわ》河口を結ぶバイパスができ、小名木川《おなぎがわ》を経由して江戸と当時の関東最大の製塩地だった行徳《ぎょうとく》（千葉県市川市《いちかわし》）とを直結させたことに大きな意義がありました。

また、開削で出た土砂は日比谷入江の埋め立てに利用され、道三堀の両側には湊《みなと》町ができました。そして道三堀は内堀と日本橋川とをつなぎ、日比谷入江の北端には海上からの物資を荷揚げする八重洲河岸《やえすがし》が作られました。これにより、日本橋川沿いには多くの河岸《かし》ができて全国から江戸にやってくる商船で賑わいました。中でも日本橋魚河岸《にほんばしうおがし》は、一日に千両の取引があるといわれ、江戸で最も活気のある場所の一つに発展していきます。日本橋の魚河岸は関東大震災の被害により移転を余儀なくされましたが、日本橋には現在も、寛政年間に蔵前《くらまえ》（東京都台東区《たいとうく》）で創業した**うなぎ割烹《かっぽう》 大江戸《おおえど》（東京都 中央区日本橋《ちゅうおうくにほんばし》）**など、当時の名残を感じさせるような老舗うなぎ屋が軒を連ねています。

こうしてでき上がった堀や水路は、江戸湾に棲《す》んでいたうなぎの遡上《そじょう》を助ける結果になり、多くのうなぎが捕れるようになります。たくさん捕れたために価格も安定し、滋養食とされたうなぎは、江戸の町造りの工事現場や河岸で働く人たちにとって貴重な栄養源となっていきました。

江戸開府から200年経った文化文政期には、江戸湾周辺で捕れたうなぎは「江戸前うなぎ」と呼ばれるようになり、中でも家康の命による改修整備で生まれた浅草川・深川で捕れたものが最高級とされるようになります（P52）。

徳川家康の江戸入府がなかったら、大規模な治水工事を命じなかったら、と考えると、徳川家康なしには、うなぎの歴史は語れません。

03 江戸前とはそもそも寿司にあらず

今では「江戸前《えどまえ》」という言葉は、江戸風または江戸の流儀として用いられることが多くなりました。ですから現在「江戸前うなぎ」という場合は、蒸さずに焼くだけの関西風に対して、蒸しが入る関東風を指します。寿司でも「江戸前寿司」は、上方の箱寿司や押し寿司に対して、握り寿司を指す言葉として定着しています。しかし、もともと江戸前とは江戸城の前の意味で羽田《はねだ》から深川《ふかがわ》までで捕れた魚を指す言葉でした。

１７３５（享保20）年に出版された『続江戸砂子《えどすなご》』には、鯵《あじ》、鯛《たい》、平目《ひらめ》などを例にあげて江戸前で捕れる魚はどれも上質と書かれています。それが１７７５（安永４）年刊行の『物《ぶつ》類称呼《るいしょうこ》』には「江戸にては浅草川深川辺の産を江戸前とよびて賞《しょう》す。他所《たしょ》より出すを旅《たび》うなぎと云《いう》」とあり、江戸前以外で捕れたうなぎを「旅うなぎ」といって区別されるようになります。そして１８０３（享和３）年に出版された『本草綱目啓蒙《ほんぞうこうもくけいもう》』には「江戸にては浅草川・深川辺の産を江戸前と称して上品とし、他所より出たるを旅うなぎと称して下品とす」とあり、ちょうど握り寿司が誕生したとされる１８００年代前半には、江戸前うなぎブランドが確立されていたことがわかります。さらに1852（嘉永5）年には、相撲番付《すもうばんづけ》を真似たうなぎ屋の格付け一覧『江戸前大蒲焼番付《えどまえおおかばやきばんづけ》』が出るほどうなぎ屋が増えて、江戸前といえばうなぎの時代がやってきます。

農林水産省のウェブサイト『うちの郷土料理　次世代に伝えたい大切な味』の東京都の項目には、「鰻のかば焼き」があります。ここでも「もともと、江戸前とはうなぎから生まれた言葉であり、大川《おおかわ》（今の隅田川《すみだがわ》）河口付近で獲れた鰻を江戸前鰻と称していたことがはじまりである」とあります。

農林水産省の定義では、「鰻のかば焼き」とは「生きた鰻を割いて串打ちにし、白焼きにして蒸したものにたれをつけて焼く」とあります。「にぎりずし」は「赤酢で締めた米飯に、（中略）煮る、蒸す、ゆでる、ヅケ、昆布締め、酢洗いなど下ごしらえを施したものをネタとする」とあります。保存方法、輸送などが発達した現在は、握り寿司の製法は当時とは異なる部分がかなりあります。一方、江戸前蒲焼は、東日本のうなぎ専門店のほとんどが、同じ製法で提供し続けています。**明神下《みょうじんした》　神田川《かんだがわ》　本店（東京都千代田区外神田《ちよだくそとかんだ》）**や、**駒形前川《こまがたまえかわ》（東京都台東区駒形《たいとうくこまがた》）**をはじめ、件《くだん》の『江戸前大蒲焼番付』に掲載された店も数店、現在の東京の街で伝統を守り続けています。

04

蒲焼のたれができるまで

うなぎに関わる江戸三大事件は？　と尋ねられたらまず第一は、徳川家康による運河の開削工事です（P50）。これによって、江戸前＝うなぎという図式が成立しました。たくさん捕れる江戸前うなぎは、最初は串に刺して焼いて食されていました（P49）。

家康が入府後すぐに取り組んだ治水工事の目的は、江戸を大都市に仕立てることでした。さまざまな河川工事を実施し、これらを進めるとともに船による物資輸送の体系を整備していきました。中でも大規模だった事業が、「利根川の東遷《とうせん》、荒川の西遷《せいせん》」です。読んで字のごとく、利根川を東へ、荒川を西へ移す工事です。

江戸湾に注いでいた利根川の川筋を東へ移して渡良瀬川《わたらせがわ》と合流させ、銚子《ちょうし》（千葉県）に流しました。実に60年にも及ぶ歳月をかけた大事業で、この結果、江戸の町は太平洋へと直接つながることになります。また、渡良瀬川の最下流部分は江戸川と名前を変え、利根川の分流となります。同じように、荒川は入間川《いるまがわ》とつなげられ、上流で隅田川《すみだがわ》と分岐して江戸湾に流れ込むようになりました。

これらの治水工事が思わぬところでうなぎ文化の発展に貢献することになります。1603（慶長8）年の江戸開府前後に、上方から醤油醸造《じょうぞう》の技術が関東へ伝えられます。1616（元和2）年に銚子でたまり醤油の醸造が始まり、1661（寛文元）年に野田《のだ》（千葉県）で醤油が商品化されます。野田の醤油は水運に乗って江戸で消費されるようになり、やがて1697（元禄10）年には、現在のヒゲタ醤油の五代目田中玄蕃《げんば》によって濃口《こいくち》醤油が造られ、江戸で大流行します。さらに100年少々の時を経て1814（文化11）年には、流山《ながれやま》（千葉県）の相模屋《さがみや》の二代目堀切紋次郎《ほりきりもんじろう》が流山白味淋《ながれやましろみりん》を生み出します。上品な甘みとうま味を持つ新しいみりんは、酒として楽しむ飲み物から調味料へと転身し、江戸前の料理に広く浸透していきます。

芳醇な香りの濃口醤油と、まろやかな甘みのみりん。これで蒲焼のたれを発明したのが誰なのかは記録がありません。しかしながら、醤油とみりんの到来によって蒲焼が生まれ、江戸庶民の圧倒的支持を得たことは間違いありません。これが江戸三大事件、第二の事件です。

現在も老舗うなぎ屋はたれを命とばかりに守り続けています。一方で、大手調味料メーカーから「うなぎのたれ」が発売され、**京丸《きょうまる》うなぎ（静岡県沼津市《ぬまづし》）**など、通販でたれを販売するうなぎ問屋もあり、いまや、うなぎなしに、たれだけでも楽しめる時代となりました。

05

土用の丑の日といえばうなぎ

寒梅《かんばい》の　かをりはひくし　鰻めし

寒い時期にうなぎを思い出すとは、大のうなぎ好きとして知られる正岡子規《まさおかしき》らしい句です。この句は季語が2つ入った季重《きがさ》なりです。晩冬の季語「寒梅」と、そう、もうひとつは夏の季語「鰻」です。

では、何故うなぎは夏と定着したのでしょう。「土用《どよう》の丑《うし》の日にうなぎを食べる」という風習は江戸時代中頃に広まった習慣とされています。由来については諸説ありますが、平賀《ひらが》源内《げんない》（1728～1780）が発案したという説がよく知られています。

味にうるさい江戸っ子は、産卵前の脂がのった秋から冬のうなぎを「旬《しゅん》」としていました。ですから、夏のうなぎは人気がありませんでした。そこで、あるうなぎ屋が博識の源内先生に相談しました。源内先生は店先に「本日丑の日」と書いた紙を貼ることを提案。本草学《ほんぞうがく》にも通じていた源内先生は、もともと丑の日に「う」のつく食べ物で精をつけるという古来の考えにうなぎをつなげたのです。結果、うなぎ屋は大繁盛。江戸中のうなぎ屋が真似たため、土用の丑の日にうなぎを食べる習慣が急速に広まった、というものです。

ただし、平賀源内が広めたという確かな証拠はありません。1822（文政5）年に青山《あおやま》白峰《はくほう》によって書かれた随筆集『明和誌《めいわし》』には、土用の丑の日にうなぎを食べる習慣が始まったのは安永天明期（1772〜1789）とあります。また、夏だけでなく冬の土用の丑の日にもうなぎを食べる習慣があったとあります。

季節の変わり目の土用は年4回ありますが、現在はいつの間にやら夏のイメージが定着し、毎年7月になると「土用の丑の日」ののぼりが立ち、うなぎファンならずとも購買意欲がそそられます。実際のところ、家庭でのうなぎの蒲焼の購買率は一年の中で7月が最も高く、一世帯当たり年間支出金額に対してうなぎが占める割合を算出した総務省の統計（2002年度）によると、7月は平均23・3％と、突出した数値を記録しています。一方、毎年土用の丑の日は休業するうなぎ店もあります。**炭焼きの店 うな豊《とよ》（愛知県名古屋市瑞穂区《なごやしみずほく》・P172）**の店主服部公司《はっとりこうじ》さんは、毎年市内の長楽寺《ちょうらくじ》に足を運び、うなぎ供養をしています。

養殖うなぎがほとんどとなった現在は、夏のうなぎは身がやわらかくあっさり、秋冬のうなぎは皮が締まってうま味が増して脂ののりがよくなります。つまり年間を通して季節ごとにそれぞれのおいしさが味わえる、というのが令和のうなぎ事情なのです。

06 うな丼誕生秘話

文化文政期（１８０４～１８３０）には化政文化が花開きます。食文化の面では、現在につながる江戸料理が定着した時代でもあります。その花形は、浮世絵などにも数多く描かれたうなぎの蒲焼です。

江戸の蒲焼屋の始まりは、元禄時代（１６８８～１７０４）に創業したと伝わる上野山下《やました》仏店《ほとけだな》（現在の京成上野駅正面口付近）の「大和屋《やまとや》」だといわれています。蒲焼は酒の肴《さかな》として提供されていました。酒の飲めない人はご飯の持ち込み可だったようで、そのうち、店も「つけめし」といって蒲焼と一緒に白飯を出すようになります。その後、ご飯に蒲焼を載せた「うなぎめし」を日本橋葺屋町《ふきやちょう》（現在の人形町《にんぎょうちょう》）の「大野屋《おおのや》」が売り出して大評判となります。「うなぎめし」は、文化年間（１８０４～１８１８）に大久保今助《おおくぼいますけ》が考案したといわれており、私はこれこそうなぎに関する江戸三大事件の第三の事件と考えています。

今助は、常陸《ひたち》（茨城県）の農民の出でしたが、江戸に出て商売で財を成し、日本橋堺町《さかいまち》（現在の人形町）にあった芝居小屋・中村座の金方《きんかた》（出資者）をしていました。今助が故郷へ帰る途中、牛久沼《うしくぬま》（茨城県龍《りゅう》ヶ崎《がさき》市）の渡しに来た時のこと。船を待っていた茶店《ちゃみせ》で蒲焼と丼《どんぶり》飯《めし》を頼んだものの、配膳されたちょうどその時に出航の合図。やむなく店で皿を借り、丼飯の上に蒲焼を乗せて皿で蓋をして船に乗り込みます。対岸に着いて、食べてみると蒲焼はご飯でほどよく蒸され、ご飯にもたれがしみてとてもおいしかったのでした！

今助はふだん芝居小屋では、隣町の大野屋から蒲焼の出前をとっていましたが、蒲焼が冷めてしまうのに難儀していました。江戸に帰った今助は、早速大野屋に、丼飯の上に蒲焼を載せて蓋をして出前をさせました。大野屋は他の客にもこのスタイルで提供したところ「冷めずにおいしく食べられる！」と大好評。これを見た他のうなぎ屋も真似をして江戸中で「うなぎめし」ブームが起こったという話です。蒲焼は冷めると皮が硬くなってしまいます。偶然の産物とはいえ、うまいことを考えついたものです。

牛久沼は現在も「うな丼発祥の地」として知られており、湖畔の国道6号線沿いには、**鶴《つる》舞家《まいや》**、**桑名屋《くわなや》（茨城県龍ヶ崎市）**など、老舗うなぎ店があり、「うなぎ街道」として親しまれています。また、東京都内ではメニューにうな丼のないうなぎ専門店もありますが、**つきじ宮川本廛《みやがわほんてん》（東京都中央区築地《ちゅうおうくつきじ》）**は、うな丼も選べます。歌舞伎鑑賞の帰りに足をのばして往時をしのぶのもよいでしょう。

二四 文明開化とうなぎ

明治に改元されて文明開化のもと、うなぎの世界にも革命的な出来事が起きます。それは、武士の世に終止符を打ったといわれる西南戦争の2年後に始まりました。

文化・天保年間（1830年ごろ）から東京深川で川魚商を営む家に産まれた服部倉次郎《はっとりくらじろう》は、深川千田新田《ふかがわせんだしんでん》に養魚池《ようぎょいけ》を作り、うなぎの餌《え》づけを始めます。うなぎ養殖事始《ことはじ》め、1879（明治12）年のことです。さらに倉次郎は温暖な浜名湖《はまなこ》に目をつけて、地元の有力者である中村正輔《まさなお》の尽力により静岡県舞阪町《まいさかちょう》（現浜松市中央区）の土地を購入します。そこに約8町歩《ちょうぶ》（約1万平方メートル）の養殖池を造成。スッポンとうなぎの養殖を開始しました。1900（明治33）年、これがうなぎの本格的養殖の幕開けとなりました。

肉食が奨励される世の中の風潮とは別に、うなぎには根強い愛好家がいました。特に明治の文豪にはうなぎ好きが多く、当時の作品の中に登場するうなぎを知ると、明治の世のうなぎの立ち位置が想像できます。

夏目漱石《なつめそうせき》の『吾輩《わがはい》は猫である』には「時に伯父さんどうです。久し振りで東京の鰻でも食っちゃあ。竹葉《ちくよう》でも奢《おご》りましょう」と**竹葉亭**《ちくようてい》**（東京都中央区銀座）**《ちゅうおうくぎんざ》が登場。『虞美人草《ぐびじんそう》』では「ある人に奴鰻《やっこうなぎ》を奢《おご》ったら、御陰様《おかげさま》で始めて旨い鰻を食べましたと礼をいった」と**鰻 やっこ（東京都台東区浅草）**《たいとうくあさくさ》が出てきます。

高浜虚子《たかはまきょし》は、『漱石氏と私』の中で、うなぎ好きで有名な正岡子規《まさおかしき》について「子規という奴は乱暴な奴だ。僕のところに居る間毎日何を食うかというと鰻を食おうという。それで殆《ほと》んど毎日のように鰻を食ったのであるが、帰る時になって、万事頼むよ、とか何とか言った切りで発《た》ってしまった。その鰻代も僕に払わせて知らん顔をしていた」と、一体いくら払わされたのか、愚痴ともとれるエピソードを語っています。

森鷗外《もりおうがい》の娘、小堀杏奴《こぼりあんぬ》の『晩年の父』には「不忍池《しのばずいけ》にある伊豆榮《いずえい》へも鰻を食べに連れて行ってもらった」と、現在も池之端にある**鰻割烹 伊豆榮**《いずえい》**（東京都台東区上野・P100）**《たいとうくうえの》に行った思い出が綴《つづ》られています。

歌人で精神科医の斎藤茂吉《さいとうもきち》も無類《ぶるい》のうなぎ好き。**花菱**《はなびし》**（東京都渋谷区道玄坂）**《しぶやくどうげんざか》を贔屓《ひいき》にし、うなぎの句を多く残していますが、「これまでに吾に食はれし鰻らは仏となりてかがよふらむか」と、食べたうなぎの命に思いを寄せており、私など共感できる一句です。

ハイカラな西洋文明の流入にも負けず、江戸前うなぎの変わらぬ人気が窺《うかが》えます。

02 波乱万丈うなぎ現代史

明治以降、現在に至るまでのうなぎの歴史は波乱万丈です。１９００年に浜名湖で始まったうなぎの養殖は、１９４０年頃には出荷量1万トンほどになりますが、太平洋戦争の勃発《ぼっぱつ》により急速に衰退してしまいます。戦後の１９４７（昭和22）年、現在の日本養鰻《ようまん》漁業協同組合連合会の母体となる東海三県養鰻組合連合会が結成され、徐々に復興し始めます。

高度成長期になると各地で治水事業のためにダムや堰《せき》などの人口構造物の建設が進み、河川へうなぎが遡上《そじょう》しにくくなり、天然うなぎの漁獲量が激減し始めます。ちょうどその頃、伊勢湾台風の影響をうけた愛知県一色町《いっしきちょう》（現在の西尾市《にしおし》）では、農地が養殖池に転用され、うなぎ養殖の先進地域として養鰻業をリードし始めます。

このころまでは、クロコウナギといわれる15㎝ほどに成長した子どもうなぎを捕って、露地池で育てる養殖方法でした。ところが、１９７１（昭和46）年、うなぎ養殖に革命的な出来事が起きます。現在の浜松市に生まれたうなぎ養殖研究者の村松啓次郎《むらまつけいじろう》は、クロコウナギに成長する前段階のシラスウナギからの養殖に成功したのです。しかも池そのものを温室に

する ハウス式温水養殖法を考案。それまで1年半から3年かかった養殖期間が、半年から1年半と短縮され、生産量を大幅に増やすことが可能になりました。

1980年代になると台湾や中国からのうなぎの輸入が増えてきます。さらに1990年代に入ると、中国でヨーロッパウナギを養殖して日本へ輸出するようになりました。安価な養殖うなぎが大量に輸入されたことで、それまで高級品だったうなぎが、ふだん気軽に食べられるようになりました。

一方で、大きな問題も起こります。理由は不明ながら、ヨーロッパウナギが急激に減ってしまったことで、絶滅の恐れのある野生動植物を守るためのワシントン条約の附属書に掲載され、2013年から貿易取引が制限されてしまったのです。

また日本国内では、1960年代半ばまで100トン以上捕れていたシラスウナギが1971年以降は100トンまで減り、1990年には20トンを割り込みます。2013年、環境省はニホンウナギを、近い将来野生での絶滅の危険性が高い絶滅危惧ⅠB《いち》類と認定。なんとうなぎがレッドリスト入りしてしまったのです。

1990年代は、リーズナブルにうなぎが食べられるうなぎバブル時代から、真剣にうなぎの資源保護に取り組む時代へと、変化を遂げた転換期となりました。

09 うなぎ博士の大発見

うなぎは、古代から食されてきたにも関わらずいまだに謎の多い生物です。うなぎはどこで産卵するのか？　この疑問に多くの生物学者が挑んできました。1922年、大西洋ウナギ（アメリカウナギとヨーロッパウナギの総称）は北大西洋のサルガッソー海が産卵場所とデンマークの海洋学者ヨハネス・シュミット博士がつきとめました。

一方で、日本における本格的なうなぎ生態研究は、1973年に東京大学海洋研究所（現大気海洋研究所）が行ったニホンウナギの大規模な産卵場調査航海が始まりです。世界のうなぎ研究をリードするうなぎ博士・塚本勝巳《つかもとかつみ》東大名誉教授が大学院生としてうなぎ研究に参加したのもこの航海でした。それから18年後の1991年に東京大学海洋研究所はマリアナ西方海域でレプトセファルス（生まれたての赤ちゃんうなぎ）約1000尾を採取し、おおよその産卵場所をつきとめました。塚本教授らの研究グループは、さらに探求を続けます。

ついに2005年、マリアナ諸島西方海域でふ化したばかりのプレレプトセファルスを大量に採取することに成功し、ニホンウナギの産卵地点を発見したのです。さらに2009年には西マリアナ海嶺《かいれい》の南端で待望のうなぎの卵31個の採取にも成功しました。

この時点で天然うなぎは何を食べているのかさえわかっていませんでした。塚本教授は、他の研究者と共同で、長年の謎だったレプトセファルスが何を食べて大きくなるのかを研究します。結果、海洋表層の植物プランクトンや動物プランクトンの死骸が分解されてできる、マリンスノーを食べて育っていることがわかったのです。

塚本教授とは「東アジア鰻学会」の懇親会でお話させていただいたことがあります。2016年のことです。「うなぎ大好きドットコムといううなぎ屋さん応援サイトを運営している高城と申します」と、私が自己紹介すると、教授は「私もうなぎ大好きですよ」と答えてくださり、「うなぎは日本の大切な食文化ですからね。がんばってください」と励ましのお言葉をいただきました。「うなぎがいなくなれば、その食文化が消えてしまいます。うなぎの生態をさらに解明して完全養殖につなげていきたい」と熱く語っていらしたのが印象に残っています。このころはうなぎの完全養殖が緒《しょ》に就いたばかりでした。

この後、塚本教授は物理学者も加わった日仏の研究チームによって、大西洋ウナギの産卵場が、長年定説とされてきた海域より東の、大西洋中央海嶺付近にある可能性が高いとする新説を2020年に発表しました。今後の研究成果にも世界が注目しています。

二〇 うなぎの完全養殖

現在の養殖うなぎは、マダイやヒラメのように卵から大人になるまですべて人間が育てているわけではありません。天然のシラスウナギを捕って養鰻場で大きく育てています。そもそも天然うなぎは繁殖行動すら、現在でもわからない部分が多いのです。２０１０年、独立行政法人水産総合研究センター（現国立研究開発法人水産研究・教育機構）は、世界初のうなぎの完全養殖に成功しました。私はこのニュースを知るまで、受精した養殖うなぎから受精卵を得てふ化して、赤ちゃんうなぎが産まれれば完全養殖だと思っていました。ところが実際は、養殖うなぎから産まれたうなぎが大きくなって、また卵を産んで赤ちゃんが産まれて、初めて完全養殖だと知り、自分の勉強不足を恥じるとともに俄然《がぜん》興味が湧いたのです。

２０１７年３月、私は同研究所で研究していた高崎《たかさき》竜《りゅう》太《た》朗《ろう》さん（当時学生）経由でうなぎの完全養殖研究の最前線である増殖研究所・南伊勢庁舎（当時）の見学を申し込みました。研究所には機密も多く、個人での見学は基本的には受け付けていませんので、高崎さんを困らせてしまいました。何しろ、ただのうなぎ好きのおじさんですから。にも関わらず何とか見学させていただき、髙崎さんは、素人にもわかるよう丁寧に案内してくれました。

うなぎの完全養殖のために不可欠なのがメスのうなぎです。不思議なことにシラスウナギから養鰻場で育てられたうなぎはほとんどがオスになります。ですから第一関門はうなぎをメスにすること。次の第二関門は、うなぎを繁殖可能な状態にして受精させること。続く第三関門が、受精卵を人工ふ化させて、赤ちゃんうなぎ（レプトセファルス）を6㎝ほどになるまで育てること。そしてシラスウナギに変態し、大きくなったうなぎが卵を産んで、卵からふ化した赤ちゃんうなぎがまたうなぎになるというサイクルができます。これらの完全養殖の現場をつぶさに見せていただき、赤ちゃんうなぎの餌の好みの研究に苦労されている話なども伺いました。この時に貴重なお話を伺った田中秀樹《たなかひでき》基盤グループ長（当時）は、翌年の2018年に近畿大学水産研究所の教授として迎え入れられます。近畿大学水産研究所は、2023年、大学で初めてうなぎの完全養殖に成功しました（P22）。

ふ化した赤ちゃんうなぎは半年から10ヵ月ほどかけて大きくなり、シラスウナギに変態します。この第三関門がうなぎの完全養殖を実用化する上で最も困難とされています。シラスウナギを低コストで大量生産できる技術が確立できれば、うなぎの未来は一気に明るくなるでしょう。

《其の二》

匠《たくみ》の技《わざ》

野《の》田《だ》屋《や》東《とう》庖《ほう》会《かい》　代表取締役　江《え》部《べ》恵《けい》一《いち》さん

江部さんは、明治元年創業の「野田屋東庖会」という、うなぎ職人の団体の代表をつとめてらっしゃいます。職人の育成と支援が仕事ですから、技術も知識も当然ながら超一流。テレビドラマの監修や、手元の吹替も、技を受け継ぐお弟子さんたちとともにこなしています。お客様の声を直に聞きたいと、11年前に入谷鬼子母神門前で始めたお店が「のだや」。お忍びで通う著名人も多い人気店で、ブランドうなぎをそろえつつも、親しみやすいメニューが魅力。いろいろな世界を見てきたからこそ、柔軟な発想で、うなぎを追求されている方です。

「のだや」の店内に飾られた、名入りの包丁。江部さんのお父様の江戸裂（上）と野田屋東庖会七代目会長の柳刃（中）

質問一◉　自己紹介をお願いします

野田屋東庖会の代表と、**入谷鬼子母神門前《いりやきしもじんもんぜん》のだや（東京都台東区下谷《たいとうくしたや》）**の店主をしています。「野田屋東庖会」が、うなぎや川魚専門の料理人の集まりとして発足したのが、今から156年前。その活動の一環として、料理店からの需要にこたえて「野田屋調理士紹介所」が始業したのが71年前、直営店の「のだや」を根岸（東京都台東区）に開業したのが65年ほど前になります。私の父親もそこで店主兼うなぎ職人をしていました。その後、一時休業を経て、2013年に、私が入谷鬼子母神門前に「のだや」を再興しました。

質問二◉　有名なブランドうなぎが勢ぞろいしていますね？

入荷がないときはお出しできませんが、常時何種類か用意しています。愛知県の新しいブランド**葵《あおい》うなぎ**（P141）は都内ではまだうちの店しか扱いがありません。たれは同じなのに、うなぎの味が異なるので、お客様の中には、ブランドうなぎを食べ比べされる方もいらっしゃいます。ブランドごとに皮の厚さや身の硬さが異なるので、調理法はうなぎの特性に合わせて変えています。すっと箸が入るように仕上げるのがうちのこだわりです。うなぎの大きさも違うので、重箱もブランドごとに変えています。

調理師紹介所のおつきあいなどもあって、お店で扱ってほしいと養鰻場から声をかけていただくケースが多いですが、良いうなぎを出荷していただけてありがたいです。ブランドうなぎの仕入れ値は、天然うなぎと変わらない値段のものもあります。

15～16年前から「ブランドうなぎ」という概念はありました。背景には、やはり資源の問題が大きく関わっています。良質なうなぎを年間を通して安定して提供する、大きく育てて1匹から2人前とって大事に使う、といった目的もあります。

質問三◉　うなぎを調理する上で大事なことは何でしょう？

まずは、素材の特性を知ることです。例えば、ブランドうなぎ3つを比較しても、**幻の鰻　共水《きょうすい》**は周年（池入れから出荷まで一年以上のうなぎ・P164）なので、たれが入りやすい。一方、**日向鰻　和《わ》匠《しょう》**は、その中間。といった具合にみんな異なります。**匠の鰻　兼光《かねみつ》**は、脂が多いのでたれをはじきやすい。

幻の鰻共水（左）と葵うなぎ（右）。共水は、1年半から2年かけて育てるため、うま味とパワーが感じられる。葵うなぎは餌に混ぜた大豆イソフラボンの効果でふっくらやさしい味。異なる重箱で提供される

若い職人には、完成をイメージして逆算していくことが大事、といつも言っています。重箱に鎮座したきれいなうな重を想像して、想像どおりの焼きに仕上げるためには本焼きは両面から熱を入れる。蒸し加減は、耳たぶのやわらかさで終わりにしないとペタンコになる。素焼きはじわっと脂が出たところで完了する。串は編むように平らに打つ。平らに串を打つためには、きれいに捌いて血のりをつけないこと。そのためには鋭い切れ味の包丁に研ぐこと。どの工程も仕上がりに影響します。

質問四◉　うなぎの未来を明るくするにはどうしたらいいでしょう？

うなぎ職人の仕事は、「串打ち三年、捌き八年、焼きは一生」というくらい、努力が必要な仕事です。後継者が減り、うなぎ屋も養鰻場も、うなぎ自体も減っています。また、コロナ禍は飲食店にとって本当に厳しい時代で、店は生き残るために人を減らし、職を失った職人は海外へ行き、その後の円安の波で、海外のほうが稼げるので日本に戻ってこない職人が増えています。一生懸命努力して技を身につけた職人が、日本で働けない時代になってしまいました。でも、技がなくては何も始まりません。けっこうなお値段をいただかなければ成り立たない商売です。舌の肥えたお客様に満足いただくには、技を究《きわ》めなければなりません。

私にできることは、うなぎの魅力を発信し続けることと、技を伝えていくことです。

質問五◉「うなぎ」とは、あなたにとって何ですか?

子どものころから職人を見て育ちましたし、高校時代から夏休みは串打ちをしていました。大学卒業と同時に父親に継いでくれと言われて、この道に入りました。

若い人たちに講義をしていますが、実際に自分が技をつかんだなと思ったのは、50歳を過ぎて自分の店を始め、お客様が召し上がるのを目の前で拝見するようになってからです。お客様とお話しながら調理できる店は私の夢でした。調理場にずっといたら、まだつかめていなかったかもしれません。一度病気で倒れたことがありますが、2ヵ月の入院中、いても立ってもいられず病院をぬけて(笑)店に来ていました。うなぎとは、切っても切れない、私の人生そのものです。

うなぎとは「人生そのもの」

2024年3月13日「入谷鬼子母神門前 のだや」にてインタビュー

「匠の技」の色紙を手にした江部恵一さん

第三章

うなぎのおいしい食べ方

01 カブト、ヒレ、バラ、レバー、ホネ

カブト、ヒレ、バラ……そう。これみんな、うなぎの部位です。うなぎは、嘴《くちばし》（あごの骨）以外は捨てるところがありません。肝吸《きもす》い、肝焼《きもや》きは、胃をはじめとする内臓を使っているのはよく知られていますが、実はほかにもおいしい部位がいろいろあります。

カブトは、うなぎの頭です。脂のりも良く、うま味が凝縮されていますが、骨が硬いのが難点。もし手に入って家庭で食べる機会があれば、圧力鍋を使ってうなぎのたれで煮込んでください。うなぎの「かぶと煮」は絶品です。関西では、うなぎのカブトは半助《はんすけ》といいます。関西風の蒲焼は頭をつけたまま焼き、後で頭を落とします。その頭とともに豆腐を煮込んだ「半助豆腐《はんすけどうふ》」は上方落語「遊山船《ゆさんぶね》」にも登場する大阪庶民の味です。

ヒレは、うなぎの背びれです。関東の背開きでは取り除く部分です。うなぎ串焼屋（通称うな串屋）では、10匹分のヒレを巻いて串焼きにします。アクセントにニラを芯にする店もあります。コラーゲンたっぷり。脂のうま味が楽しめます。

バラは、中骨についた身の部分。マグロの中落ち、牛のカルビに相当する部分で、うな串

の人気メニューです。茹でて、さっぱりとポン酢をかけて出す店もあります。

レバーは肝臓。丁寧な店は、1匹に1つしかないレバーを10匹分ほど串に刺して「レバーの串焼」（P1）として提供します。超レアなので売り切れ必至です。

ホネは、うなぎの中骨《なかぼね》のこと。ホネをカリカリに揚げた「骨せんべい」はお酒のアテに最高です。骨せんべいを作る時は、骨についた内臓や血をきれいにしますが、コラーゲンたっぷりなので、下拵えを終えた職人の手はツルツルすべすべになります。

うなぎは待つもの。うなぎが焼けるまでの小一時間、これらを肴《さかな》に一杯やる時間を「うなぎ前《まえ》」「うな前《まえ》」と言ったりします。捌きたてにこだわる店**うなぎ魚政《うおまさ》（東京都葛飾《かつしか》区《く》四ッ《よっ》木《ぎ》・P1）**では、「このうなぎを捌きますよ」とまずうなぎを見せてくれて、「骨せんべい」と、肝にわさびを添えた「肝わさ」をうなぎ前に出してくれます。

これらの部位を一度に味わえるのがうな串屋です。都内近郊にいくつか系列がある**うな鐵《てつ》**は気軽に行ける店です。また、大ヒットグルメ漫画『美味《おい》しんぼ』には**川二郎《かわじろう》（東京都中野《なかの》区《く》中野）**の二代目が実名で登場します。現在「川二郎」は二代目の娘さんが四代目として店を切り盛りしています。三代目はというと、お隣東中野で**鰻串焼き くりから**を営んでいます。店を譲った二代目は、同じ中野で**味治《みはる》**の屋号でうなぎを焼いています。

02 うなぎ屋で飲むお酒

うなぎ前に何を飲むか。うな重に何を合わせるか。愛飲家《あいいんか》にとっては大事な問題です。うなぎがご飯に合うのは、うな重を見ても明らか。ならば米から作る日本酒が合わないはずがありません。江戸時代は燗酒《かんざけ》やどぶろくが定番でしたが、理屈から言うと次の2つの選択肢があります。

① サラっとした辛口　うなぎの脂とたれをすっきりさせるタイプ

② どっしりとした濃いめ　うなぎに負けないタイプ

『日本名門酒会《にほんめいもんしゅかい》』では、2006年から「鰻に合う酒」と銘打ち、うなぎや日本酒に造詣の深い方々を招いて、うなぎと日本酒の相性を審査しています。

うなぎとの相性を考えて造られた酒もあります。**石鎚《いしづち》酒造（愛媛県西条市《さいじょうし》）**のその名も『石鎚純米酒　土用酒《どようざけ》』。愛飲家といえるほど強くない私ですが、試してみたところうなぎの味わいを包み込み、引き立たせる酒でした。うなぎで一杯やりたいという方には**鰻《うなぎ》と地酒《じざけ》の稲《いな》毛屋《げや》（東京都文京区《ぶんきょうく》千駄木《せんだぎ》・P1）**がお勧めです。うなぎは関東風、関西風が味わえる上、うなぎの酒肴《しゅこう》も豊富。蔵元とのつながりも深いのでお酒の品揃えも抜群です。

うなぎに合う酒といったら焼酎も外せません。まず、米焼酎。日本酒では削ってしまう米の外側も残っているのでたんぱく質や脂質も残っていて、米の甘みと香りはうなぎとの相乗効果をもたらします。蒸留工程を経ているため、米のうま味を残しながらも、すっきりした口当たりは蒲焼以外のうなぎ料理にもおすすめです。麦焼酎は、麦の香りと香ばしく焼かれた蒲焼きと相性抜群です。キレもあるため、うなぎの脂を程よく洗い流してくれる効果もあります。養殖うなぎの生産量日本一の鹿児島県（P138）は、芋焼酎の本場で100を超える蔵元があります。「うなぎ」と銘打った焼酎がいくつもあり、実に個性豊か。白焼、蒲焼、肝焼と相性研究すれば、何通りものベストマッチが見つかるはずです。

フランスのワインの名産地ボルドー地方、ロワール地方にはそれぞれ川があり、うなぎの郷土料理がワインとともに親しまれてきました。そもそもワインとうなぎは相性が良いのです。**野田岩《のだいわ》（東京都港区東麻布《みなとくひがしあざぶ》）**五代目・金本兼次郎《かねもとかねじろう》さんがワインの提供を始めてはや半世紀。ワインセラーを備えるうなぎ屋も増えました。

うなぎは一人でも楽しめる最高の料理です。そこにお酒があれば、相乗効果が期待できるだけでなく、酌《く》み交《か》わすことで人と人のつながりもでき、さらにおいしくなります。

03 うな重パッカーン

私が運営する「うなぎ大好きドットコム」のＹｏｕＴｕｂｅ版「うなぎ大好きチャンネル」では、うな重の蓋を開けるシーンで「うな重パッカーン」とナレーションを入れるのが常となっています。認知度が上がったためか、うなぎ屋さんで「パッカーンおじさんだ」と指さされることもしばしばあり、うれしいやら恥ずかしいやら、ありがたいことです。なぜこのようなパフォーマンスを始めたかといいますと、写真と文章以外でうなぎのおいしさを伝えたいと思い始めた頃に、ちょうど動画投稿サイトが流行り始めたからです。

待ちに待ったうな重の蓋を開ける瞬間、ワクワクは最高潮に達します。湯気の中から姿を現すうなぎ様の美しさといったら後光《ごこう》がさしています。同時に鼻腔《びくう》をくすぐる香ばしさ。食べる前から夢心地。口に入れれば、関東風ならふわとろ、関西風ならかりふわの食感を舌や歯で感じます。うなぎとたれ、ご飯が渾然一体《こんぜんいったい》となった極上の味覚に半ば恍惚《こうこつ》となるのもやむを得ません。人間の多くの感覚を満足させるうな重。感動の瞬間にできれば聴覚も刺激したいと、ワクワク感を最大限表現したフレーズが「パッカーン」なのです。

うな重は五感すべてで楽しめる料理です。食べる以前に視覚《しかく》・嗅覚《きゅうかく》・聴覚《ちょうかく》で楽しめることはご理解いただけたかと思いますが、続いて味覚《みかく》・触覚《しょっかく》について解説します。私たちが舌で感じる味覚には基本五味とよばれる、甘味《あまみ》・塩味《えんみ》・酸味《さんみ》・苦味《にがみ》・うま味の5つがあります。ご飯やたれに感じる甘味は、エネルギー源としてのシグナルです。たれの塩味は、ミネラルとしてのシグナル。うなぎやたれのうま味は、アミノ酸を示すシグナルです。栄養満点の上に、かすかに感じる酸味や苦味は山椒によって極上の風味へと変容します。第六の味覚、脂味《あぶらみ》も豊富です。しかもうなぎに含まれる脂質は多価不飽和脂肪酸《たかふほうわしぼうさん》といい、悪玉コレステロールを減らし、善玉コレステロールを増やす作用があります。

そんなことは私は感じ取れない、という方、いらっしゃいますか？　そんな方こそ、うな重を食べれば、味覚細胞の代謝を促す亜鉛が取れます。一般的なうな重一人前で、日本人が一日に必要な亜鉛の約半分を摂ることができるのです。

ちなみに私がパッカーンを考案したのはかれこれ10年ほど前、**うなぎ割烹《かっぽう》髙橋屋《たかはしや》（埼玉県杉戸町《すぎとまち》・P120）**でした。一人で行ったにも関わらず、広いお座敷でうなぎをいただくことになり、運ばれてきたうな重のあまりの香ばしさに、思わず「パッカーン」と口をついて出てしまった次第。みなさんもぜひパッカーンの瞬間を楽しんでください。

04

肝吸い、漬物、水菓子

うなぎ屋でうな重を注文するとうな重のほかにお椀や漬物がセットでつく場合が多いですね。さらには小鉢やデザートがつくこともあります。価格高騰などの影響で肝吸いが別注の店もありますが、いずれにせよ、何か汁物がないと、落ち着きませんし、うな重だけではちょっと寂しい感じもします。

肝吸いの「肝」とは何か。一般的には肝というと肝臓を指しますが、うなぎの場合、肝は胃や腸を中心とした内臓すべてを指します。

うなぎの肝をおいしく食べるには下処理が肝心です。血合いを水でよく洗い流し、苦玉《にがだま》と呼ばれる部分を取り除きます。苦玉は非常に苦い部分で、中には胆汁《たんじゅう》が入っています。さらにうなぎの血や苦玉には、イクチオヘモトキシンというたんぱく質性の毒素が含まれているので、よく水洗いして下茹でします。

こうして下処理をした肝を椀種《わんだね》にした吸物が肝吸いです。肝吸いも多様で、茹で肝か焼き肝か、つまは何か、吸口《すいくち》は何か、など肝吸いにこそ店の特徴が現れます。また、名古屋以西は肝吸いか赤だしが選べる店が多い印象です。東京は私の知る限り、選べる店は数店程度です。そんな中、**髙嶋家《たかしまや》（東京都中央区《ちゅうおうく》日本橋《にほんばし》）**は、肝赤だしがグランドメニューに載っている希少な店です。

うなぎ屋の漬物といえば、まず思い浮かぶのは奈良漬《ならづけ》です。理由は諸説あるようですが、土用の丑の日つながりという説が有力です。土用の丑の日にはもともと「う」のつく食べ物で食《く》い養生《ようじょう》をする習慣がありました。そこに目をつけて、土用の丑の日にうなぎを推したのが平賀源内でした（P56）が、奈良漬は瓜ですから、うなぎ同様、「う」のつく食べ物。土用の丑の日に一緒に奈良漬も、となっても不思議はありません。栄養素的にも、抗酸化物質がうなぎのビタミンの吸収を助けるため理想的。一方、同じ「う」でも、西瓜《すいか》（うり）や梅干しは、うなぎとの食べ合わせはNGという話もよく聞きますが、これは医学的にも問題がなく、もっぱら迷信のようです。うなぎに関わる迷信はほかにもいろいろあり、それだけでも長年日本人に愛されてきた食べ物であることがわかります。

うなぎのコース料理を頼むと締めくくりに水菓子《みずがし》として果物が出されます。特にビタミンCを多く含む果物は、うなぎに含まれる鉄分やコラーゲンの吸収をアップさせてくれます。うなぎ屋のセット料理やコース料理も、実はよくできているのです。

一 05 うな重のご飯の話

江戸時代に今のような蒲焼ができたころはお酒と一緒に楽しんでいました（P58）。江戸時代末期になると、蒲焼屋では「つけめし」といってご飯も提供するようになります。その後、蒲焼をご飯の上に載せた「うなぎめし」が登場して、江戸で一世を風靡《ふうび》します。これぞ蒲焼オンザライス。蒲焼はご飯の蒸気と熱で風味が格段に増し、ご飯は蒲焼のうま味とたれがしみて、お互いを高めあう最高の組み合わせとなったわけです。うな重という一皿の総合芸術を語る上でご飯の話ははずせません。

あるテレビ番組で、「究極のうな丼を作る」という企画があり、お米マイスターの方とご一緒させていただいたことがあります。うなぎ屋にも詳しいその方の話では、「お店によって求められるお米に多少の違いはあります。共通しているのはたれをまぶしてもベタッとしない、ハリのあるお米」ということでした。確かに、どの店もお米の銘柄選びには気を遣っている節があります。そして銘柄以上に、炊飯器具、炊き方こそ、自身の店のうなぎの焼き方、たれに合うよう、店ごとに一方ならぬこだわりを持っているように感じます。ご飯に強いこだわりを持つ店のうな重こそ、箸ですくって口に運ぶことが苦にならず、うな重の最後の一粒まできれいに食べることができるものです。

印象深いのは、蒸しかまどでご飯を炊いていた**うなぎ 三好《みよし》 人形《にんぎょう》町《ちょう》店《てん》（東京都 中央区《ちゅうおうく》 日本橋《にほんばし》）**です。蒸しかまどとは木炭で炊く陶器製の大型炊飯器で、大きな甕《かめ》の中に釜ごと入れて使用します。炊きあがったご飯は、最高のひと言につきる、絶品の銀シャリでした。

また、**赤坂《あかさか》 重箱《じゅうばこ》（東京都 港区《みなとく》赤坂《あかさか》）**では江戸の昔のように蒲焼のお重とお櫃《ひつ》ご飯が別々に出てきます。一粒一粒が艶やかに輝いていて、噛めばご飯のほんのりと甘い香りが口の中にふわっと広がり、それだけでもう充分なくらい。いやいやと気を取り直して蒲焼を口に含めば、ご飯自体がさらにおいしい！　まさに奇跡のご飯でした。

余談ですが、蒲焼のたれがしみたご飯＝うなだれご飯は子どもから大人まで嫌いな人はいないと思います。家庭でうな重をいただいていてたれが余った時に、ぜひ試していただきたいのが「うなだれＴＫＧ」です。うなだれご飯に生卵を落とした最強卵かけご飯。大人のあなたは、そこに山椒をひと振りすれば、さわやかなピリ辛風味に。いまや、うなぎのたれは市販品も豊富です。私はたまにオリジナルうなだれを作って（Ｐ85）、この「うなだれＴＫＧ」をいただいております。

06 名店の「命」といわれるたれ

味わいはもちろん、香りの香ばしさ、見た目の照《て》り艶《つや》、うなぎの好みの決め手となるのが、たれです。

うなぎのたれは醤油とみりんを合わせて、砂糖、酒などを加えて煮詰めて作ります。どれも日本人に馴染み深い調味料ですが、メーカー、銘柄で味わいが異なります。さらに同じ銘柄で同じ分量でも、店ごとに煮詰める時間や材料を入れるタイミングが異なり、そこにその店の歴史に培われたセンスと思いが凝縮しています。心を込めて焼いたうなぎをくぐらせて、減った分だけつぎ足していくため、味に年輪ができて、オンリーワンのたれとなります。一朝一夕にできるものではないからこそたれは「命」。

うなぎの捌き方と同じようにたれも地域ごとに違いがあります。江戸時代後期の三都（京都・大阪・江戸）の風俗を書き記した『守貞謾稿《もりさだまんこう》』には、うなぎのたれは「江戸は醤油にみりんをまぜ、京坂《けいはん》は醤油に諸白酒《もろはくしゅ》をまぜる」とあります。諸白酒とは日本酒のことです。

江戸前の流れをくむ東京の老舗では、今も醤油とみりんが同じ分量のたれが基本。関西は

郵便はがき

料金受取人払郵便

小石川局承認

1158

差出有効期間
2026年6月27日まで

切手をはらずに
お出しください

112-8731

東京都文京区音羽二丁目
十二番二十一号

講談社エディトリアル 行

ご住所	□□□-□□□□		
(フリガナ) お名前		男・女	歳
ご職業	1. 会社員　2. 会社役員　3. 公務員　4. 商工自営　5. 飲食業　6. 農林漁業　7. 教職員 8. 学生　9. 自由業　10. 主婦　11. その他（　　）		
お買い上げの書店名	市 区 町　書店		

このアンケートのお答えを、小社の広告などに使用させていただく場合がありますが、よろしいでしょうか？　いずれかに○をおつけください。

【　可　　不可　　匿名なら可　】

＊ご記入いただいた個人情報は、上記の目的以外には使用いたしません。

TY 000015-2405

愛読者カード

今後の出版企画の参考にいたしたく、ご記入のうえご投函くださいますようお願いいたします。

本のタイトルをお書きください。

a 本書をどこでお知りになりましたか。

1．新聞広告（朝、読、毎、日経、産経、他）　2．書店で実物を見て
3．雑誌（雑誌名　　　　）　4．人にすすめられて
5．書評（媒体名　　　　）　6．Web
7．その他（　　　　）

b 本書をご購入いただいた動機をお聞かせください。

c 本書についてのご意見・ご感想をお聞かせください。

d 今後の書籍の出版で、どのような企画をお望みでしょうか。興味のあるテーマや著者についてお聞かせください。

ご協力ありがとうございました。

ジューシーな地焼きに負けないよう濃厚なたれ。関東風でも東京から郊外にいくしたがって、甘みが増す傾向があります。関西風の中でも東海地方は、たまり醤油とまろやかな三河みりんを使う店が多い印象があります。江戸時代から長崎・出島の影響で砂糖文化が根付いている九州は、甘めのたれです。「裂きは関東風、焼きは関西風、たれは甘めの岡谷《おかや》流」といわれるように、**うなぎの館《やかた》　天龍《てんりゅう》**や、**濱丑川魚店《はまうしかわうおてん》（長野県岡谷市）**など、岡谷で食べたうなぎはどれも、私が食べた中で最も甘いたれでした。一方、**なまずや　各務原分店《かがみはらぶんてん》（岐阜県各務《かがみ》原市《はらし》）**のたれは、みりんを使わない、白ざらめと醤油だけのたれで、甘いながらもさっぱりとした味わいでした。

名店よろしく、私オリジナルのたれもありますので、ここにレシピを紹介します。

材料　濃口醤油・本みりん各1カップ（200cc）　砂糖大さじ2⅔（40g）

①　鍋で本みりんを煮立たせて、アルコール分を飛ばす

②　煮切った（※1）本みりんに砂糖を入れ、弱火でとかす

※1 鍋で煮たてアルコールを飛ばす

③　②に醤油を入れて木べらでかきまぜながらとろみがつくまで煮詰める

私ももと江戸っ子なので醤油とみりん1：1の江戸前です。ひと口大にカットした蒲焼を煮込めばうなぎの佃煮に。焼鳥、生姜焼《しょうがやき》、うなだれTKG（P83）にもどうぞ。

37 日本最古のスパイス、山椒

うなぎ料理に欠かせない山椒は、日本最古のスパイスです。山椒は、日本原産のミカン科の落葉低木。うなぎと山椒の関係を示す最古の文献は、室町時代までさかのぼり、蒲焼の原型である、焼いてぶつ切りにしたうなぎにも山椒味噌をつけていたことは前述のとおりです（P49）。

山椒の辛味成分、サンショオールは、内臓の働きを活発にし、消化不良を改善する働きがあります。山椒を含む柑橘系《かんきつけい》の植物が持つ香り成分、シトロネラールは、鎮静・鎮痙《ちんけい》作用、抗不安作用を持っています。山椒が持つ特有のさわやかな香り成分、ジテルペンは免疫細胞を刺激して活性化する働きがあります。

日本で栽培される山椒の品種の代表的なものは３つあります。

① 朝倉山椒（兵庫県産）　木にトゲがなく実は大粒

② 高原《たかはら》山椒（岐阜県産）　実が小ぶりでさわやかな柑橘系の香りが特徴

③ ぶどう山椒（和歌山県産）　ぶどうの房のように粒の実が連なるのが特徴

お馴染みの粉山椒は、山椒の熟した実の皮を乾燥させて粉状にしたものですが、皮以外の実、若芽、葉、花もそれぞれ香辛料として使われます。枝もすりこぎになります。

うなぎは実山椒《みざんしょう》とも大変相性がよく、うなぎの山椒煮も各地で作られています。私の一推しは、**うなぎ 日本料理 優月《ゆうげつ》（岐阜県多治見市《たじみし》）**の「うなぎの山椒煮」です。うま味が凝縮していて温かいご飯にかければ、2切れで1膳いけます。お茶漬けにしても良し、酒のつまみにもぴったり。とにかくうまい！ 店主の三宅輝《みやけあきら》さんが、お土産用に製品化したもので、三宅さんは農林水産省の「日本食普及の親善大使」に任命されています。

もとを正せば、うなぎ特有の臭いを消すために使われていた山椒。今は、養殖技術や調理技術の進化によって臭いのあるうなぎは稀《まれ》になりました。ですから、いきなり蒲焼に大量の山椒をかけるのは避けて、山椒ありなしそれぞれの味を楽しむのもよいかと思います。私が提案するうな重をおいしくする山椒のかけ方をご紹介しましょう。

① 蒲焼をめくってご飯の上（またはめっくったうなぎの皮）にお好みの量をかける

② 蒲焼を元に戻して、ひと呼吸。ほんの少し待ってから食べる

こうしてみると、うなぎの味わいの後から山椒の香りがほどよく追いかけてきます。ご飯にもほのかな山椒の香りがして、これまたうまい！ どうぞ、お試しください。

08 変わりうな重最大のヒット作

２００５年に開催された「愛・地球博」を契機として全国区の人気となった「なごやめし」。そのごちそうグルメの代表が「ひつまぶし」です。ひつまぶしは、お櫃《ひつ》に盛ったご飯に、短冊のように刻んだうなぎの蒲焼を載せた料理で、ねぎや海苔《のり》、わさびなどの薬味、お茶漬け用の煎茶かだしがついてきます。

ひつまぶし発祥の店といわれている一つは、１８７３（明治６）年創業の**あつた蓬莱軒《ほうらいけん》（愛知県名古屋市熱田区《なごやしあつたく》）**です。創業時、出前の瀬戸物の丼は割れることが多く、木製のお櫃に人数分の蒲焼を入れて出前を始めます。その後、取り分けやすいように蒲焼を細かく刻むようになりました。これが好評で、店の会席料理でも取り入れ、〆《しめ》だからさっぱり食べてほしいと薬味の提供やお茶漬け風に食べる方法も考案したというものです。

もう一つ、ひつまぶし発祥の店といわれているのが、１９０９（明治42）年創業の**いば昇《しょう》（愛知県名古屋市中区《なごやしなかく》）**です。当時、使っていた天然うなぎは、大きさも質もまちまちで、お客には出せない硬いうなぎもありました。もったいないので細かく刻んで大きなお櫃に入れてかきまぜて、賄《まかな》い料理として食べたのが始まり、という説です。現在、名古屋市中区には数代前に別経営となった「いば昇本店」と「錦三丁目《にしきさんちょうめ》いば昇」があります。

賄い料理のひつまぶしは、三重県津《つ》市が発祥という説も存在します。メニュー化したのは名古屋が早いので、名古屋名物ひつまぶしとして定着したといわれていますが、発祥に諸説ありは、人気の証拠です。ひつまぶしはうなぎスピンオフ料理の傑作で、変わりうな重としては最大のヒット作。もはや私が解説するまでもないほどに全国区で浸透していますが、一応正しい食べ方をお知らせします。

① 茶碗にきれいに移せるよう、お櫃のご飯をしゃもじで四等分にする
② 1杯目は、うなぎ本来のおいしさをストレートに味わう
③ 2杯目は、ねぎ、海苔、わさびと薬味を載せていただく
④ 3杯目は、薬味を載せてだしか煎茶をかけてお茶漬けに
⑤ 4杯目は、お好みの食べ方で〆

地焼きのかりふわ感は1杯目で、薬味とのハーモニーは2杯目で楽しみ、満腹感と戦いつつ3杯目はさらっと。そして4杯目がうなぎマニアの腕の見せ所。ちなみに私は、お茶漬けにして、名古屋ならではの濃厚なたれを追いだれして味変《あじへん》を楽しんでいます。

09 お取り寄せ、スーパー、コンビニのうなぎ

毎年、お取り寄せやコンビニのうなぎについての記事の依頼が増えてくると、ああそろそろ夏だなあと感じます。お取り寄せは、うなぎ専門店の直営通信販売とうなぎ関連企業の通信販売に大別できます。うなぎ専門店の通信販売は、店での味が家庭でも楽しめるという優れもの。ただし、梱包代の分、店より若干高めで、繁忙期は欠品が多い点は考慮しなければなりません。うなぎ関連企業の通信販売のほとんどは、加工場での製造です。加工品とはいえ製造技術の革新は目覚ましく、おいしさはぐんぐん上がっています。

本書の執筆にあたり、養鰻から流通、製造、レストランまで手掛ける国産うなぎの総合商社**株式会社大森淡水《おおもりたんすい》（宮崎県宮崎市）**にお願いして、潜入取材をさせていただきました。

工場へ向かうと、専用の帽子と作業着に着替えます。入場前に2度の粘着ローラーがけとエアシャワーで髪やホコリを除去し、最後に手を丹念に洗いアルコール消毒します。すぐ中に入れるのかと思っていましたが、食品会社の入場手順は徹底しています。厳格な衛生管理のもと、いざ入場。中に入ると、大勢の職人が鮮やかな手さばきでうなぎを捌いていきます。

捌いたうなぎは専用の焼成機《しょうせいき》に入り、白焼、蒸し焼き、たれ焼き……とうなぎ職人が行うのと同じ工程を経て、蒲焼になります。要所ごとに、人の目と手でチェックが行われます。使用するうなぎは、信頼できる養鰻家が愛情を込めて育てた活鰻。入荷前に肉質、脂、骨、におい、味などをしっかり検査して、合格点をクリアしたうなぎだけを使用しています。試食検査の方にまじって私もちゃっかり試食させていただきましたが、本来は硬い頭まで、やわらかく仕上がっているのは驚きでした。国内メーカーのうなぎの蒲焼は贈答用がメインのため、形がほんの少し悪い、ほんの少し傷がある程度で、「はねだし」「わけあり」に仕分けされますが、味にはまったく問題なし。家庭で食べるには、お得な選択肢だと思います。

スーパーで買ったうなぎはちょっとしたひと手間で各段においしくできます。

① たれを洗い流す（乾燥を防ぐため粘度の高いたれがかかっているため）
② アルミ箔を一度くしゃっと丸めてから広げ（焦げ予防）、皮を下にして蒲焼を置く
③ オーブントースターで、たれを2～3回にわけて塗りながら焼く

近年大手コンビニは、土用の丑の日に合わせて、うなぎ関連商品を予約販売に切り替えました。食品ロス防止のためです。有名店監修の商品もあり、おいしさもアップしています。手軽に気負わず食べられるのが、コンビニのうなぎの一番の魅力ですね。

10 チェーン店のうなぎ

江戸時代後期のうなぎの蒲焼は、一皿200文だっととか。今の貨幣価値に換算すると、4000円前後です。庶民は500円程度の屋台で食べていたとか。1980年代後半から1990年代前半は、庶民も手が届く価格でうな重は提供されていました。21世紀に入ると年々価格が上がり、2020年代にはうな重一人前は江戸時代の価格を超えてしまいました。私のいる東京近郊に限ってみれば、もう少し高いイメージもあります。

2023年、生活保護の受給者と支援者によるデモで「たまにはうなぎも食べたい」というスローガンが掲げられ、話題になりました。うなぎが好きで、もっと気軽にうなぎを楽しみたい、というニーズは確実にあります。牛丼チェーンやファミレスチェーン、格安うな丼の**名代《みょうだい》宇奈《うな》とと**などは、この要望に応えています。これらの店は、蒲焼加工品を店舗で温めて提供する方式を採用することで価格を下げています。

2022年9月に1号店がオープンした**鰻の成瀬《なるせ》**はわずか1年半で100店舗を超えるまで成長しています。その秘密は手厚いフランチャイズ加盟店支援とボタンを押せば焼ける機器の導入で、職人レスを実現したことです。

一方で、職人の焼くうなぎでチェーン展開をするのは、大手飲食チェーンの**際《きわ》コーポレーション株式会社**です。**にょろ助《すけ》**、**瓢六亭《ひょうろくてい》**などの屋号で、東京を中心に蒸さずに焼く地焼きうなぎを提供しています。

また、愛知県の老舗うなぎ問屋**株式会社中庄《なかしょう》商店**は問屋ならではの素材にこだわる目利きの力で**うなぎ四代目菊川《きくかわ》**を東海、関東を中心に全国展開しています。

名店の経営に参画する企業も出ています。和惣菜、水産加工品の開発・製造を行う**シンセンフードテック株式会社**が滋賀県大津市で400年の歴史を誇る**うなぎ料亭 山重**の運営をしています。

名古屋市を拠点に飲食チェーンを営む**株式会社かぶらやグループ**は、**炭焼《すみやき》うな富士《ふじ》（愛知県名古屋市《なごやし》 昭和区《しょうわく》）**の暖簾《のれん》分け店**鰻《うなぎ》う おか富士《ふじ》（愛知県名古屋市中区《なかく》）**の開業を機に運営に参画しました。飲食チェーンと専門店のコラボで、東京・有楽町店を皮切りに店舗数を増やしています。「炭焼うな富士」はミシュランガイド掲載、食べログうなぎ百名店選出の名店として知られています。さらに、ここで修行して独立した職人の店も複数、ミシュランガイド掲載、食べログうなぎ百名店選出を果たしています。

《其の三》

うなぎ愛《あい》 鰻道《うなぎどう》

炭焼《すみやき》うな富士《ふじ》 相談役 水野尚樹《みずのなおき》さん

飲食店の口コミサイトが登場した20年ほど前、うなぎ激戦区の名古屋で、ダントツトップの店がありました。それが「炭焼うな富士」です。調べると、店主は50歳で脱サラしてうなぎ屋を始めたとのこと。どんな方なのか、とても気になりました。初めてお邪魔した時は大行列で入れず、二度目の訪問でやっと入店できました。いつもどおり、撮影の許可を求めると、水野さん自ら席まで来てくださり、会ってみて、そのお人柄にふれて、すべて納得しました。この方がいれば、もううなぎの未来は大丈夫なんじゃないかな、と思える、私が尊敬してやまない方です。

いつも行列ができる店舗前には、お客様のためのテントがはられている

質問一◉　自己紹介をお願いします

水産大学校在学中に高知大学で卒論で魚病学《ぎょびょうがく》の研究をして、23歳で飼料メーカーに就職しました。そこから半年ほど養鰻場に派遣された後、7〜8年ほど研究職で養魚用飼料の研究をして、30歳をすぎた頃から、営業職で全国を回って飼料の販売をしました。

養魚用飼料の営業とは、イコール労働力の提供ですから、各地の養鰻場に赴き、技術的アドバイスをしたり、うなぎ専門店も手伝ううち、捌き、串打ち、焼きの技術に加えて、店をやるノウハウは一通り身につけていました。たれについても、うなぎの歴史を研究するうちに、江戸の食文化は、そば、寿司、天ぷら、うなぎ、どれも醤油が鍵だと気づき、醤油メーカーに就職した後輩を巻き込んで、数値を分析して配合したオリジナルのたれを持っていました。50歳で退職後、伝手《つて》をたよりに東京・横浜などいくつかのうなぎ専門店で修業をして、半年後に**炭焼うな富士（愛知県名古屋市《なごやし》昭和区《しょうわく》）**を始めました。5年ほど前、75歳の時にかぶらやグループに事業承継して、現在「炭焼うな富士」の相談役をしています。

質問二◉　「うな富士」の「天の青うなぎ」について教えてください。

「天の青うなぎ」とは、天然に近い飼育環境の低水温で1年半以上かけて飼育し、餌にこだわって育てた特別な養殖うなぎです。日本各地の天然うなぎを食べ歩いてきましたが、「天の青うなぎ」は、全く遜色のない天然うなぎ仕立てになっています。しかも、「うな富士」の強力な炭火の火力により、肉質のうま味や甘味が引き立ち、ボリュームがあって大変おいしいうなぎです。「うな富士」だけの限定ブランド品として好評を博しています。

質問三◉ お弟子さんが成功されている理由は何でしょう？

炭焼《すみやき》うなぎ 喜多川《きたがわ》（三重県四日市市《よっかいちし》）、**うなぎ家《や》しば福《ふく》や（愛知県名古屋市西区《なごやしにしく》）**、**うなぎ 与八《よはち》（三重県桑名市《くわなし》）**、**清月《せいげつ》（愛知県名古屋市 東区《ひがしく》）**、**うなぎや（長野県飯田市《いいだし》）**など、独立後にミシュランガイドに掲載されたり、食べログ百名店に選ばれたり、がんばっている子が多いのは、もともと素養があって、根性もあるいい子が来てくれたからだと思います。

私の究極の師匠は、**うなぎ処《どころ》 新城《しんじょう》（三重県桑名市《くわなし》）**の山下栄司《やましたえいじ》さんです。山下さんと、話していると不思議と私はまったりさせられて、学んだことがたくさんあります。1週間、1ヵ月、3ヵ月、半年、1年、範囲を決めて計画を立てる。でも、当然いい時もあれば悪い時もある。悪い時は「そんな日もあるんだな」と、思うこと。悪い時を引きずらない。絶対に明日はよくなると信じること。常にプラス思考。これが、師匠から教わった一番大事なことです。これは、うちにいた子たちみんなに、伝わっていると思います。

質問四◉「うな富士」の後継者をどのように育てていますか？

「うな富士」の名前をどう残すかを考えていた時に、ちょうどうなぎ屋を出したいと思っていたかぶらやグループの岡田憲征《おかだのりゆき》社長に声をかけていただきました。かぶらやグループは、社長が平成4年に一業種一形態で始めた飲食店です。和、洋、中さまざまなスタイルの料理店にまじって、「うな富士」も今は8店舗になりました。

「うな富士」に配属された子は、閉店後に捌き、焼きを勉強するだけでなく、一人前のうなぎ師になるために、養鰻場で現場実習を経験し、小さなシラスウナギが、いかに多くの人の手を辿ってここまで来るのか学んでいます。そうすることで、仕事を理解し、うなぎを慈《いつく》しむ気持ちが生まれると思います。

50歳で店を始めたころから、後進に伝えたいことをずっと書き留めてきました。それらを「鰻道《うなぎどう》」と名づけて、今、かぶらやグループの子たちに伝えています。鰻道とは、「鰻愛《うなぎあい》に基づき、うなぎ業界に精通し、最高の蒲焼を提供する、技術と魂《たましい》を習得する道」です。これを一通り終えたら、私の職務は全《まっと》うできるかなと思っています。

質問五◉　「うなぎ」とは、あなたにとって何ですか？

養鰻場に寝泊りしていた23歳のころ、当時はまだハウス養殖《ようしょく》が始まる前の露地池《ろじいけ》の時代でした。各地のうなぎの出荷を手伝いに行くと、食事の時に池主《いけぬし》がうなぎを捌いて食べさせてくれました。ドラム缶を半分に切って炭を仕込んだ手製の焼き台で焼いてくれて、パッパッと塩をふって、「お前も食え」なんて言われて「いただきます」って。それが私のうなぎ初体験。その時の白焼の味が「うな富士」の原点です。あの経験がなければ、今の自分はありません。

「は〜、世の中にはこんなにおいしいものがあるのか」とびっくりしました。

江戸時代から伝わるうなぎ文化のおかげで、五十数年、この業界でお世話になってきました。こんなに奥深い食べ物はないし、こんなに面白くて、こんなにかわいい生き物はいないですね。

うなぎとは「最高にかわいいもの」

2024年3月5日「炭焼うな富士」にてインタビュー

「天の青うなぎ」の解説と「鰻道鰻愛」の色紙を手にした水野尚樹さん

第四章

うなぎの名店 愛される理由

01

江戸前流儀の結晶

鰻割烹 伊豆榮（東京都台東《たいとう》区《く》上野《うえの》）

浅草《あさくさ》、柴又《しばまた》、現在でもうなぎの名店が残る街は、古くは水辺近くの門前町。かつては上野もそんな町でした。不忍池《しのばずのいけ》は隅田川《すみだがわ》とつながっており、うなぎがたくさん捕れたといわれています。蒲焼屋の元祖といわれる「大和屋《やまとや》」をはじめ、上野界隈にはうなぎ屋が多く、「伊《い》豆《ず》榮《えい》」もその一つでした。

現在は、九代目で女将の土肥好美《どいよしみ》さんが都内にあるすべての店舗に目を配り、切り盛りしています。伊豆榮の初代は武士で、刀の柄を補強して滑りにくくする柄巻《つかまき》を施す柄巻師《つかまきし》だったそうです。

伊豆榮のうな重は、江戸前流儀の結晶です。江戸前を一言で言うと、まるで桜のよう。パッと咲いてちょっと儚《はかな》い。パッカーンとうな重の蓋を開けると、炭火焼ならではの香ばしさが漂い、艶やかなうなぎが目に飛び込んできます。醤油とみりんのみで作った江戸っ子好みのキリッとしたたれは、砂糖を使わない分、一瞬の照り。この極上の一瞬を味わうために、毎日多くの客がつめかけます。ほおばれば、ふわっと舌の上でとろけるやわらかさ。食べている間にも少しずつ味わいが変化して、二重どころか三重、四重の楽しみがあるのが、うなぎ好きの心をとらえます。

以前、隣の席に座ったご高齢のご夫妻の会話が耳に入りました。「やっぱりうまいねぇ。やわらかで」「本当に。いつ来ても変わりませんね」「わしゃ、人生最後の食事はここのうなぎがいいなぁ」

私が伊豆榮を好きな理由はまさに、その変わらなさ。これだけ店舗数のある大所帯にも関わらず、いつ来ても一糸乱れぬ同じおいしさ。これだけの規模で、多くの職人さんを抱える中、この安定感は奇跡としてか思えません。だからこそ、入江侍従長《いりえじじゅうちょう》が昭和天皇にもお勧めしたのだろうと納得します。森鷗外《もりおうがい》、谷崎潤一郎《たにざきじゅんいちろう》、池波正太郎《いけなみしょうたろう》、名だたる文豪たちも通った名店は、東京で現在も暖簾《のれん》を守り続けるうなぎ屋の中で、最も長い歴史があります。上野で300年の歴史を刻むのは、並大抵のことではありません。

かといって、敷居の高い店かと思いきや、決してそんなことはなく、気さくな女将のコンセプトが店のすみずみまで伝わっているような気がします。私はこういう店が好きだな、と思わずにいられません。ふだんはシャイな私ですが、ここへ来ると、少し図々しいくらいリラックスしてしまうのです。

02

上方うなぎの老舗

本家柴藤（大阪府大阪《おおさか》市《し》中《ちゅう》央《おう》区《く》高麗橋《こうらいばし》）

20代の半ばごろ、仕事の都合で2年ほど大阪に住んでいました。大阪でも親しい友人ができて、安くてうまいうなぎ屋を教えてもらっては出かけたものです。その日も教えてもらった店に行き、注文したのは一番安価な「並うなぎ丼」。運ばれてきた丼の蓋《ふた》を開けると、一面のたれご飯で、うなぎ様が見当たらないではないですか⁉　たのんだのが一番安い並だけに、こりゃ一杯食わされたと、仕方なしにうなだれご飯を食べ始めます。このたれご飯がうまい。どんどん食べると、やがてご飯の中からうなぎ様がお出ましになりました。これが、私の「まむし」初体験です。

「まむし」の語源は、ご飯とご飯の「間」にうなぎを挟んで「蒸す」ので「間蒸《まむ》し」または、ご飯＝「まんま」で蒸すので、「まんま蒸し」が転じたなど諸説あります。

「まむし」を考案したのは、「本家柴藤《ほんけしばとう》」の初代といわれています。以前伺った際は、女将の柴藤慈子《しばとうしげこ》さんがいらして、うなぎ談義におつきあいくださいました。女将によると、「柴藤」はもともと紀州藩に魚を納めていた川魚商だったとか。紀州出身の八代将軍吉宗《よしむね》の勧めで、料理屋「柴藤」を大阪付近で開業したのが始まりとのこと。上方落語『うなぎ』にも登場する、「暴れん坊将軍」の時代から300年の歴史を誇る上方うなぎの老舗です。

現在、柴藤の「大阪まむし」はご飯の上にも中にもうなぎ様がいらっしゃる「中入れ《なかい》」になっています。いやはや、私のように一杯食わされたと誤解する輩《やから》が他にもいたのかもしれないな、と邪推《じゃすい》しつつパッカーン。ご飯の上の蒲焼は、地焼《じや》きならではの外《そと》かり中《なか》ふわ。ご飯の中の蒲焼は、ご飯で蒸されてふわとろ。二つの食感が一つのお重で楽しめるわけです。蒸されてもっちりしたご飯はたれがよくしみて、おいしいことおいしいこと！

ふと卓上を見ると、日替わりメニューに「半助豆腐《はんすけどうふ》」を発見。これは頼まないわけにいかんぞ、と早速頼んでみたら、ぐつぐつと煮たったうなぎの頭と豆腐が、小ぶりの土鍋で運ばれてきました。ほどよく味のしみた豆腐を小皿にとって、はふはふ食べながらお銚子を一本追加。

現在「半助豆腐」はメニューにないとのことですが、女将のお勧め、ごぼうをうなぎで巻いた「八幡巻」など一品料理も充実。要予約の「やわらかまむし」は、噛む力が弱くなった方にも優しいメニュー。さすがは老舗、あちこちにお客様に寄り添うホスピタリティが感じられる店なのです。

013

せいろ蒸し発祥の店

元祖本吉屋（福岡県柳川市《やながわし》）

筑紫《つくし》次郎《じろう》と呼ばれる筑後川《ちくごがわ》の河口部に位置する柳川市《やながわし》はかつて良質の天然うなぎの産地として栄えました。うなぎのせいろ蒸しは、江戸時代から柳川の郷土料理として親しまれ、市内のほとんどのうなぎ屋で提供されていますが、その発祥の店といわれるのが「元祖《がんそ》 本吉《もとよし》屋《や》」です。

創業は1681（天和元）年。江戸で蒲焼を知った初代が、地元柳川に戻って、皮の硬いうなぎをやわらかくアツアツのまま提供できないだろうか、と考えた末に、せいろ蒸しを考案したといわれています。350年近い歴史ある老舗です。

西鉄柳川駅《にしてつやながわえき》が最寄りですが、城下町の常で、街の中心と駅は離れたところにあり目的の本吉屋までは1kmほど。にも関わらず、わざわざ食べに来る人でいっぱいでした。私もご多分に漏れず、北原白秋《きたはらはくしゅう》の詩情を育《はぐく》んだ水郷《すいごう》柳川の風景を楽しみながら、15分ほど歩いて向かうと、なんとも風情《ふぜい》のある木造建築と素敵な庭が見えてきました。

私が頼んだのは「うなぎのせいろ蒸し定食」。うなぎのせいろ蒸し（P7）、肝吸い、香の物、白焼酢《しらやきす》の物《もの》、といったセット。白焼酢の物は、地焼《じや》きのかりかり感を残した酢の物。酸味が効いて実に美味。あまりに美味なので、白焼をリピートしたくなり、メニューにあった「白焼おろし」を追加で頼んでみました。白焼に、大根おろし、七味、レモン、青ねぎ、わさびが添えてあります。せっかくなのでレモンを絞って、全部載せていただくと、おろしのさっぱり感、レモンのさわやかな酸味、七味とわさびの辛味、青ねぎの風味が複雑に絡み合って白焼のうま味が引き立てられます。

いよいよせいろ蒸しの到着。屋号の入った木のせいろがとても立派。立派すぎて、パッカーンするにはやたらと重い。しかしながら、やはりこの密閉できる重さがおいしさの秘密なのでしょう。力を込めてパッカーン。芳しい香りとともに、湯気で前方視界不良に。あつあつほかほかを口に含めば、舌の上でとろけるほどにふわふわでやわらかく、とにかくおいしい。さすが本場!! たれを絡めて蒸したご飯は、一粒一粒にしっかりとたれの味とうなぎのうま味がしみ込み、蒲焼との一体感が素晴らしい。

それもそのはず。せいろ蒸しは、関東風に背開きしたうなぎを素焼きにし、たれをつけて本焼き、硬めに炊いたご飯にたれをまぶしてせいろ蒸し、蒲焼を載せて再び蒸して、錦糸《きんし》卵《たまご》を乗せる、という実に手の込んだ工程を経て作られているのです。

04

文化財でいただくうなぎ

うなぎ喜代川（東京都中央区《ちゅうおうく》日本橋《にほんばし》）

「白い鰻があるんですね」渡辺淳一《わたなべじゅんいち》の小説『化身《けしん》』でヒロインの霧子《きりこ》が初めてうなぎの白焼を見た時に発した言葉です。さらに渡辺淳一は「このさわやかな色合いのなかの、とろ味がこたえられない」と主人公の秋葉《あきば》に言わせています。

このうなぎ屋のモデルになったのが、東京・日本橋小網町《にほんばしこあみちょう》の「うなぎ喜代川《きよかわ》」です。日本橋、茅場町《かやばちょう》、人形町《にんぎょうちょう》、水天宮《すいてんぐう》の4つの駅のちょうど真ん中にあり、東京証券取引所のすぐ近く。私が初めて訪れたのは独立して今の治療院を始めたころで、従兄がお祝いに連れていってくれました。時はバブル絶頂期。店のあちこちで、株で儲けたような景気のいい話が聞こえていました。従兄から「こういう老舗のうなぎ屋は成功した人間が来るところだ。お前も成功して一番高いうな重を食えるようになれ」と言われ、以来喜代川は私にとって憧れの店となりました。

前置きが長くなりましたが、喜代川は創業1874（明治7）年。タイムスリップしたかのような、風情《ふぜい》ある佇《たたず》まいはこれぞ老舗の風格で、1927（昭和2）年に建てられたこの建物は、2018年に文部科学省から登録有形文化財に認定されました。

仕事が軌道に乗り始めてから、一時期この店に通った時期があります。「うざく」に魅せられたからです（P8）。うざくはご存知のとおり、ざく切りにしたきゅうりの酢の物にざく切りにしたうなぎを乗せたもの。この店のきゅうりはざく切りならぬ細切りで、だしのきいた合わせ酢とよく合い、温かさが残るふわとろ蒲焼との相性も抜群。酸味がとてもまろやかで全部飲みほしたい衝動に駆られるのです。この店でうざくに目覚め、一時期はうざくめぐりにはまりました。合わせ酢の配合、きゅうりの形状、うなぎの焼き加減、たれの味、どれもその店のオリジナル。うざくほど店を物語る料理はないのです。

ある日、現在調理場に立つ五代目の連れ合いの若女将に、「このうざく、おいしいねえ」と声をかけたところ、「これね、渡辺淳一先生のお気に入りでね。先生、よくおかわりされてたんですよ」と言われ、さもありなん、と膝を打ったものです。

肝心のうな重は、こだわりの備長炭《びんちょうたん》を使い、創業時から注ぎ足ししているたれで丁寧に焼き上げたもの。150年もの間、数多くの食通をうならせてきました。すっきりした辛めのたれをまとい、口の中でふんわりとろける蒲焼。口に入れると、醤油の香りをうま味と甘味が追いかけてきます。江戸前の真価が発揮された美しいうな重です。

05

天下無敵の店

東高円寺 小満津（東京都杉並区《すぎなみく》東高円寺《ひがしこうえんじ》）

天下無敵《てんかむてき》。辞書を引くと「この世にかなうものがいないほど強い、あるいはすぐれていること」とあります。かつて東京・京橋にあった「小満津《こまつ》」をこう評したのは小説家・随筆家の小島政二郎《こじませいじろう》です。私の中でこの店は、「技」と「うなぎとの向き合い方」にかけては、まさに向かうところ敵なし！　といった印象。

無類の食道楽であった小島政二郎は著書『食いしん坊』の中で、「戦争前までは、小満津の外にも、麻布芋洗坂《あざぶいもあらいざか》の大和田《おおわだ》、麹町《こうじまち》三丁目の秋本《あきもと》、同じく丹波屋《たんばや》の三軒がズバ抜けてうまかった」とお気に入りの店をあげています。麻布芋洗坂の大和田と麹町の丹波屋は、残念ながら今はもうありません。

「京橋 小満津」も、上質の天然うなぎが手に入りにくくなり、名人といわれた二代目に後継者がなかったことが重なり、１９６４年に惜しまれつつ閉店します。それから15年の時を経て１９７９年に、東高円寺に場所を移し、二代目の孫にあたる現店主が三代目として小満津を再興しました。二代目に負けず劣らず、多くの美食家を虜《とりこ》にし、ミシュランガイド掲載、食べログうなぎ百名店選出を成し遂げました。特にミシュランは、価格以上の満足感が得られる店が選出される「ビブグルマン」での選出ですから、リーズナブルに最高のうなぎが食べられる店として太鼓判を押されたわけです。

店内は半個室風の席が3つのみ。1日6組限定の完全予約制です。お客様に真摯《しんし》に対応するにはこれが限界だとのこと。故に、予約のとれない店でもあるのです。お客様一人一人の顔を想像しながら作っているに違いなく、それが目の前の一皿から不思議と伝わってくるので、私はすっかりこの店のファンになってしまったのです。

たれは、甘からず辛からず、うなぎのうま味を感じるちょうど良い塩梅《あんばい》。舌の上で皮までとろけるようでありながら、飴色《あめいろ》に輝き、まったく型崩れもしていません。捌《さ》き、串打ち、蒸し、焼き、すべての技が完璧な証です。特筆すべきはその食後感。コース料理を完食した快い満腹感がありながらも、胃はちっとも重くないのです。

三代目は仕事中の真剣な眼差しとは別人のように、焼き台から離れると柔和な笑顔が印象的です。明るく気さくな女将と二人三脚で店を切り盛りしてきましたが、2023年、件《くだん》の**うなぎ秋本（東京都千代田区《ちよだく》麹町《こうじまち》）**などで修業を積んだ、三代目の次男が小満津に戻ってきました。名店の系譜が四代目に継承されていくことを期待せずにはいられません。

06 哲学のある老舗
はし本（東京都中央区《ちゅうおうく》日本橋《にほんばし》）

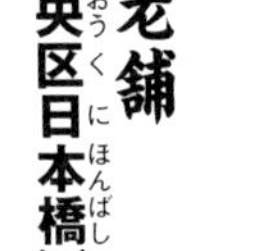

「鰻　これ　くふうて　やく　のむな」とは、うなぎを食べて薬を飲むな、つまり、栄養価の高いうなぎを食べれば薬要らず、という医食同源《いしょくどうげん》の思想です。「はし本《もと》」の軒先きには創業以来の理念として、この言葉が掲げられています。

私が「はし本」を知ったのは、2004年ごろ、ちょうど「うなぎ大好きドットコム」を始めたころでした。『日刊ゲンダイ』の菊谷《きくや》匡祐《きょうすけ》のエッセイで、長年親交のあった開高健《かいこうけん》の豪快な食べっぷりを描いた連載でした（後に『開高健が喰った!!』として書籍化）。

ぜひ行きたいと思いつつ時が流れてしまい、初めて伺ったのは2011年のこと。東京駅八重洲口《やえすぐち》から徒歩5分の店舗に顔を出すと、四代目がさわやかな笑顔で出迎えてくれました。場所柄、ビジネスマンの多いランチは正に戦場で、「うなぎは待つもの」とは言っていられない状況。しかし、捌《さ》き立て、焼き立てのうなぎを味わってもらってこそ、うなぎ屋、と初代の理念に立ち返り、四代目が改革に乗り出したのはこのころでした。

店で扱うものは生産者の顔が見えるものにしたいと、活鰻《かつまん》は問屋から仕入れるほかに、豊富な湧水を利用して無投薬で育てた泰正養鰻《たいせいようまん》の「横山さんの鰻」（鹿児島県・P146）を直《じか》に仕入れたり、農薬・化学肥料を使わずに栽培した白瓜《しろうり》で作った「寺田屋本家《てらだやほんけ》」（千葉県）の奈良漬を取り寄せたり、自ら唎酒師《ききざけし》の資格を取得して、納得のいく日本酒と焼酎をそろえたりと、さまざまな取り組みをしてきました。また、フレンチのシェフなど、うなぎ職人以外の料理人との交流もあり、同世代の若手と切磋琢磨《せっさたくま》しながら、自分の店にとどまらず、飲食業界全体、ひいては、生産者も含めた食に関わる人全体を盛り上げる努力をしているように見受けられます。

　四代目をここまでつき動かしているのは、「うなぎ文化の継承と資源の保全」とのこと。まさに、私が「うなぎ大好きドットコム」を始めた理由と同じなのでした。専門店と一消費者と立場は違えど、共感せずにはいられません。

「たれは年数ではなく、良いうなぎをくぐらせた枚数」と四代目は言い切ります。そのたれが、やや硬めにもっちりと炊かれたご飯にまんべんなくしみわたり、上に載った蒲焼は、捌き立てを江戸前流儀で焼き上げたふわとろ。極上の味わいです。店先に「待ちます」と銘打ったものの、客足は途切れず、逆にお客様が増えたとのこと。四代目の努力が実った証でしょう。いつまでもこの味を食べ続けられることを願って止みません。

07

大迫力のきんし丼

逢坂山かねよ（滋賀県大津《おおつ》市）

「これやこの　行くも帰るも　別れては　知るも知らぬも　逢坂《あふさか》の関」とは、小倉百人一《おぐらひゃくにんいっ》首《しゅ》でお馴染《なじ》みの蝉丸《せみまる》が詠《よ》んだ歌です。逢坂の関は、山城国《やましろのくに》（現在の京都府）と近江国《おうみのくに》（滋賀県）の境にあった関所《せきしょ》で、この関所の西側が関西だといわれています。

大津から京都へ向かう国道1号線沿いに建つ「逢坂山関址《おうさかやまのせきあと》」の記念碑の脇を入ると、「うなぎ注意」の標識があります。なんともユニークな標識に、なんじゃこりゃ？　とクスッと笑っているうちに、明治5年創業の老舗、「逢坂山《おうさかやま》かねよ」に到着します。

出逢《であ》いの場所逢坂でうなぎと卵が出逢ったのが、「きんし丼」。しかも、蒲焼の上に載っているのは「厚い」の一言では済まないくらい、厚すぎるきんし玉子。ド迫力なきんし丼です（P7）。もとは、細く刻んだ錦糸玉子を載せたうな丼だったそうですが、待ちきれないお客様の要望に応えて、薄く焼いて巻き重ねたきんし玉子を切らずにドンと載せたところ、大好評。そのまま名物になったとか。これだけ人気なので、同じような丼を出すお店もありますが、実は「きんし丼」は、逢坂山かねよの登録商標なのです。

現在は、職人頭《しょくにんがしら》だった村田《むらた》章太郎《しょうたろう》さんが社長をつとめています。もと職人なので、うなぎのすべてを知りつくしている一方で、営業で全国を飛び回る多忙な身でありながら研究熱心。トレードマークの卵を、チルドで通信販売するなど、新たな試みにも取り組まれています。逢坂山かねよは、向かい合わせに、気軽に食べられるレストランと、老舗の暖簾《のれん》を守る本店があります。本店の壁には、改装を機に、うなぎの漫画『う』の作者、ラズウェル細木《ほそき》さんの絵が描かれました。ちなみにラズウェル細木さんの漫画は、逢坂山かねよのウェブサイトの『逢坂山 かねよ 歴史物語』でもご覧になれます。

相性が抜群のうなぎと卵。だしをたっぷり含んだ関西風の味つけで、甘くない卵焼きなので、箸休め（というには大きすぎますが）にぴったり。やわらかく焼き上げられただし巻き卵と、関西風のジューシーな蒲焼は、交互に食べることがおすすめ。村田さんに聞いたわけではないので高城《たかしろ》流のおいしい食べ方ですが、まず卵だけ食べ、次に蒲焼とご飯を一緒に食べ、また卵だけ食べる。これで口の中だけでなく体中が幸福の絶頂に達します。

逢坂山かねよの代名詞といえば、「日本一」。詩人の野口雨情《のぐちうじょう》は、そのおいしさに惚れて箸袋に「鰻料理は逢坂山のひびくかねよか日本一」と走り書きをしたとか。ひと目で脳裏に焼きつくインパクト、卵の厚み、味のハーモニー、確かに、日本一！

02 うなぎマニアに勧めたい店
うなぎ屋酒坊・画荘 越後屋（埼玉県 所沢市《ところざわし》）

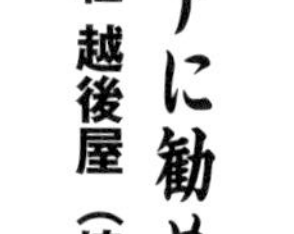

一枚板のカウンター席の目の前には、ギターがディスプレイされて、さながら音楽バーのような雰囲気。西武池袋線《せいぶいけぶくろせん》・小手指駅《こてさしえき》近くの住宅街にある、蔵《くら》を模した建物にかかる「鰻」の暖簾《のれん》。ここが、「うなぎ屋酒坊《しゅぼう》・画荘《がそう》越後屋《えちごや》」です。

店名にはそれぞれ理由があります。「酒坊」とは、サッカー元日本代表の中田英寿《なかたひでとし》氏が主催する日本酒イベントに出店依頼が来るほど、うなぎ料理に合うこだわりの酒が置いてあるため。「画荘」とは、日本画家である店主のお母様の作品が飾ってあるためです。

ギターはただの置物ではなく、「昔はミュージシャンでした」という店主の島崎剛《しまざきつよし》さん。ご親戚がうなぎ屋をやっていて、そこで習ったとのことですが、すべてにオリジナリティがあり、独学で追加された知識や技術の量に半端なさを感じます。そして、さすがにもとミュージシャンだけ合って、うなぎの提供も最初から最後までライブ感がすごい！

夏の繁忙期以外であれば、カウンター席に座れば、調理の工程がかぶりつきで見られます。カウンター脇に設《しつら》えられた立場《たてば》の桶から、活きの良いうなぎを取り出し、鮮やかな手つきで捌《さ》く店主の姿は、まさにうなぎライブ。一部始終がすべて見られるのですから、うなぎマニアにはたまりません。

コース料理を頼むと、うなぎのすべてが楽しめます。例えば前菜は、骨せんべいとナッツの盛合わせに、ミレーの絵画『オフィーリア』をオマージュしたうなぎの煮凝《にこご》り。中骨《なかぼね》の周りのバラは、季節の野菜とサラダ仕立てに。ヒレ、肝、頭は串焼に。目の前で焼いた白焼は、いくらなどとともにきれいに盛りつけられ、冬なら雪に見立てた塩がふられて出てきます。一皿一皿に季節感があり、見た目も味わいも行くたびに変わるので、何回お邪魔しても飽きません。

〆《しめ》のうな重は、関東風、関西風が選べて、しかも焼き加減の希望までも聞いてくれるという自由さ。本来、焼き加減は、その店の流儀ですから、老舗の職人なら、ゆるぎようのない一点を変えようはずがありません。しかしながら、どこまでも柔軟なこの店のスタイルには、ガツンと頭を殴られたような衝撃を覚えました。客側も「強めに」とか「やや軽めに」など気負いなく自分の好みを伝えています。ちなみに私はいつも、ウェルダム。「焼き強めの焦がし焼きで」とお願いしています。焼きの技も確かな上に、とてもいい炭を使っているので、うなぎが香ばしく、とにかくおいしく焼けるのです。

09

ハレの日のうなぎ屋

一味亭（埼玉県ふじみ野《の》市《し》）

ひと昔前、したたか酔った世のお父さんは、家族への罪滅ぼしに、折《おり》を片手に千鳥足《ちどりあし》で帰宅したものです。折の中身は大体寿司かうなぎ。また、お食《く》い初《ぞ》め、七五三など子どものお祝い事も、広間のある寿司屋、うなぎ屋でやったものです。飲食店のスタイルが多様化するとともに、少子化、核家族化も進み、そんな景色も最近は見なくなりましたが、日本人の心にある、どこか懐かしい原風景のうなぎ屋。それが「一味亭《いちみてい》」です。

一味亭は、祝い膳のうなぎ屋、ハレの日のうなぎ屋を謳《うた》っています。一味亭を知るきっかけは、かれこれ7~8年前、SNSでした。一味亭の投稿に「いいね」を押していたら、ある日二代目の西山加三喜《にしやまかみき》さんからメッセージをいただき、お邪魔することになったのです。気軽に行ってみれば、錦鯉《にしきごい》が泳ぐ庭が格式高く、想像以上に立派な店構えに、これはとんでもない高級店に来てしまったかも、と緊張感が一気に高まりました。

ところが店に足を踏み入れてみると、とても温かい雰囲気。何しろ、うな重は松竹梅ではなく、何枚で頼める世界。関西では見かけますが、関東近郊では非常に珍しいケースです。

うな重を食してみると、すこぶるつきの香ばしさに、甘味のあるまろやかなたれ。最初の緊張感とは正反対の、とっつきやすさを感じました。

先代に聞いたところでは、1966年の創業。先代は、浦和《うらわ》の老舗**中村家**《なかむらや》**（埼玉県さいたま市浦和区**《うらわく》**）**で修行されたとのこと。中村家は辛口のたれで有名なので、意外に思いたずねると、創業時は三芳町《みよしまち》（埼玉県入間郡《いるまぐん》）の川越街道《かわごえかいどう》沿いにあり、都内から群馬県の高崎《たかさき》まで広範囲から客が来ていて、多くの方に親しんでもらうためにたどり着いたのが現在のたれだとか。確かに、これなら子どもから大人まで親しめるたれです。また、焼きの極意は「身を焦《こ》がさずに脂《あぶら》を焦がす」とのこと。つまりは、うなぎから出た脂が焦げることで、うなぎの身がいぶされているというわけで、香ばしい理由に納得しました。

現在は、二代目夫婦が店を切り盛りしています。職人といえば頑固な昔気質《むかしかたぎ》を想像するもののの、やさしさの中に秘めた熱いうなぎ魂《だましい》を感じ、今の時代、こういう方こそ文化をつないでいく人なのだろうな、と感じます。年間300組以上のお祝いに関わっているそうで、さすがのホスピタリティ。フラッグシップメニューは、蒲焼と白焼の相盛り重。ハレの日のうなぎ屋だけにその名は「紅白重《こうはくじゅう》」。お土産には、ふじみ野市のブランド商品にも認定されている「鰻ちまき」が人気。私も折を片手に帰途につきました。

二10 新しいスタイルのうなぎ屋

うなぎ創作 鰻樹（埼玉吉川市《よしかわし》）

ほとんどのうなぎ屋のメニューに、うなぎの刺身は載っていません。活鰻《かつまん》を生《なま》から捌《さ》く店が多いのに、何故うなぎの刺身がないのかを不思議に思う方も多いのではないでしょうか。理由は、うなぎの血液にはイクシオトキシンという神経毒が含まれているからなのです。しかしながら、この毒は60℃で5分間加熱すると完全に毒性を失うので、焼いたり、蒸したり、加熱した蒲焼や白焼は安全に食べられるのでご安心ください。

しかし、全国にはわずかながらうなぎの刺身を出す店があります。その一つが、**うなぎ料理専門店 川昌《かわしょう》（埼玉県松伏町《まつぶしまち》）**です。独自の調理技術で血抜きをして安全に食べられる「うなさし」を提供しています。「うなさし」を提供するのは川昌とここ、**うなぎ創作《そうさく》 鰻樹《まんじゅ》（埼玉県吉川市《よしかわし》）**の2店だけです。

鰻樹の店主鈴木裕介《すずきゆうすけ》さんは、**鰻問屋もがみ（千葉県柏市《かしわし》）**で目利《めき》き、捌《さ》きの腕を磨いたのちに川昌で修業を積んで独立しました。

川昌では、日本料理の料理人でもある二代目の飯塚裕志《いいづかひろし》さんが考案する、うなぎを使った創作和食が評判です。一方、鰻樹では少しでもうなぎを気軽に親しんでほしいとの思いから、酒とともに楽しめる居酒屋的うなぎ創作メニューを取り揃えています。川昌二代目と鰻樹の店主は、お互いを親しみとリスペクトを込めて「変態」と呼び合う仲。二人とも、うなぎが好きで好きで、好きすぎて、うなぎのことばかり考えている変態＝アイデアマンなのです。

うなさしを作る時はうなぎの皮を剥ぎます。川昌では、さすがは日本料理の料理人、ふぐ刺しよろしく湯引《ゆび》きして、うなさしとともに提供します。これも食べられるのは川昌だけ。鰻樹は、串に巻いて串焼きにします。初めて見たときは、「裕ちゃん、皮、串に刺して焼いちゃったの？」と本当に驚きました。食べてみれば、コラーゲンたっぷりのとろけるプリプリ食感。「こんなうまいもん、食ったことねぇ」と唸《うな》りました。今まで4000食以上、年間100回はうなぎ屋に行く私ですが、初めての体験。彼は、いつもこんな驚きと感動を届けてくれるので、私もまだまだ探求せねば、という気持ちになります。

定番のうな重は関東風ですが、月に一度「本格地焼きうな重」のイベントも開催。蒲焼、白焼の相盛りも頼めるので、うな重だけでもバリエーション豊か。「石焼きうな重」も特筆もの。たれご飯のおこげは想像以上のおいしさです。居酒屋的なカジュアルさで、斬新なメニューがたくさんあり、うなぎの可能性を体感できる店です。

《其の四》

文化《ぶんか》の担《にな》い手《て》

うなぎ割烹《かっぽう》 髙橋屋《たかはしや》 店主 髙橋明宏《たかはしあきひろ》さん

創業150年の老舗「髙橋屋」四代目の髙橋さん。30年ほど前、私が初めて杉戸町《すぎとまち》（埼玉県）の「うなぎ割烹 髙橋屋」にお邪魔したのは先代のころで、名物のうなぎの天ぷらをいただきました。四代目と初めてお目にかかったのは10年ほど前。その情熱に感動して、私も新しく「パッカーン」という合言葉を編み出してしまった次第。室町三井家所縁《むろまちみついけゆかり》の「松《まつ》の茶屋《じゃや》」で修業された先代に因んで、器など細部に凝った「銀座《ぎんざ》 四代目《よんだいめ》 髙橋屋《たかはしや》」を銀座（東京都）に出店。ミシュランガイド掲載という偉業をたった2年余りで成し遂げ、ひとりの日本文化の担い手として大活躍中です。

杉戸町の「うなぎ割烹 髙橋屋」。暖簾をくぐると、500 坪の敷地内に、季節が楽しめる庭園と、広々とした店舗が建つ

質問一◉ 自己紹介をお願いします

初代が古利根川《ふるとねがわ》沿いで、川で捕れたうなぎを出す料理屋を始めたのが150年前で、私は四代目に当たります。父が三代目として店をやっていたころは、私は東京で修業をしていて、そのまま東京で自分の店をやろうと、物件を探したり、資金集めに『マネーの虎』という番組のオーディションを受けたりしていました。ところが、父が病気になってしまい、16年前、30歳で**うなぎ割烹 髙橋屋（埼玉県北葛飾郡杉戸町《きたかつしかぐんすぎとまち》）**を継ぎました。

最初はまったくお客様に来ていただけず、ゼロからのスタートでした。「うなぎ大好きドットコム」はまさに私の教科書で、サイトを見て、紹介されている店に食べに行っては、どんな調理法をするとどんな味になるのか、脳に刻んで知識を蓄積していき、いつの間にか初めての店でも、入った瞬間にどういう調理法かわかるようになりました。いつか高城先生とお目にかかれる日がくるかもしれない、それまでにもっと成長しなければ、と仕事の励みにしてきました。5年ほどで一日30～40組ほどご来店いただける店になり、高城先生が来てくださったのはちょうどその頃だったと思います。

その後、2021年に念願だった東京に、**銀座 四代目 髙橋屋（東京都中央区銀座）**を出店することができました。開店の際、「老舗の料理屋に生まれたからには、一度ミシュランに載るまで死ねないぞ」という思いで、採算度外視で闘ってきました。2年でミシュランに掲載いただき、本当にありがたいなと思っています。

質問二◉ 名物「うなぎの天ぷら」について教えてください

初代が、前の川で捕れた、うな重にするには小さめのうなぎを、捌いて揚げたのが始まりです。ですから天然うなぎを仕入れて作っていた時期もありましたが、よりリーズナブルに、私たち世代にもおいしく食べていただくにはどうしたらいいか、と考えました。きっと初代のころの小さめの天然うなぎは、筋肉質で脂が少なく、川の香りがしたんじゃないか。そうイメージして、私は、うなぎの骨を抜いて、酒蒸しにして、緑が香るオリーブオイルを使って揚げ、新生うなぎの天ぷらを作りました。どんな業界でも、時代に合わせたマイナーチェンジは必要です。守るべき伝統は守って、トレンドを読んで、柔軟に日々調整して変えていくことが大事だと思います。

質問三◉ 室町三井家所縁の「松の茶屋」とのつながりとは？

父が「髙橋屋」の三代目になる前に、箱根の「松の茶屋」で修業をしました。「松の茶屋」

は、日本のトップセレブだけが来るような料亭でしたので、それこそ三井記念美術館に入っているような器を使っていたと父から聞いています。父が存命のころは、三井記念美術館の方が器のことを聞きにいらしたこともありましたし、「松の茶屋」を文化財として残す改修工事の際には、建設会社の方が、建物の詳細を聞きにいらしたこともありました。三井の当主がお好きだった「甘鯛《あまだい》の道明寺《どうみょうじ》蒸《む》し」は現在、「銀座 四代目 髙橋屋」のスペシャリテとしてお出ししています。

質問四◉ 銀座 四代目 髙橋屋のブランディングについて教えてください

三井の名前を借りて、伝統を引き継ぐ覚悟で、銀座にオープンした店です。建築も内装も食器も、「松の茶屋」のエッセンスが感じられるよう、こだわりました。高級食材をしっかり使って、天然だしを引くことは必須です。天然だしの味を「薄い」と感じられる方が世代を下るにしたがって増えていて、多くの飲食店が化学調味料を採用する中、天然素材だけで勝負するのは、ものすごく苦しい闘いです。飲食店の原価率は3割といわれますが、銀座店は優に5割を超えています。正直、怖くて体が震えて眠れない夜もありました。でも、四代目と謳っている以上、親の七光りならぬ二十一光ですから、これだけ光っていればできて当然です。私は図々しくも光を浴びていますが、お客様や、力添えくださった方々、がんばってくれる部下たちへの感謝を忘れてはいけないと肝に銘じています。

質問五◉「うなぎ」とは、あなたにとって何ですか?

私はずっと、「髙橋屋」のために、この世に生を受けたのではないかと思っていました。夢みたことや、やりたいことは他にもあったのですが、その度に、「髙橋屋のため」を一番に考えてきました。それが、一つ一つ目標を乗り越えるうちに、少し変わってきて、最近は「髙橋屋」のためではなく、うなぎ文化を盛り上げるために生まれてきたのかな、と思い始めています。私にとってうなぎとは、「いのち」です。「使命」とも「運命」とも言うかもしれませんが、自分は、そのために生まれてきたのだろうな、と思っています。

うなぎとは「いのち」

2024年3月20日「うなぎ割烹 髙橋屋」にてインタビュー

「いのち」の色紙を手にした髙橋明宏さん

第五章

うなぎ産地解剖

三 うな重のうなぎはどこから来るのか

ニホンウナギがレッドリスト入りし、うなぎ資源の不足が叫ばれる現状は、皆様も小耳に挟んだことがあるかと思います（P63）。では、我々が今、うなぎ専門店や家庭でいただくうなぎは一体どこから来ているのでしょう？

うなぎがどこから来るのか語る上で、まず知っていただきたいのが、次の5つです。

①　うなぎには「天然うなぎ」と「養殖うなぎ」がある
②　天然うなぎとは川や湖で捕れるうなぎ、養殖うなぎとは養鰻場で育てたうなぎのこと
③　天然うなぎは、昔はいっぱい捕れたけれど、今は昔のようには捕れない
④　我々が現在食べているうなぎは、99％が養殖うなぎといわれている
⑤　天然うなぎと養殖うなぎの産地は異なる

何事もそうであるように、物事を知るためには「歴史」と「地理」を押さえなければなりません。うなぎの食文化としての歴史は第二章でご紹介しましたが、天然から養殖への変遷の歴史については、産地の特性と合わせてこの章でお話したいと思います。

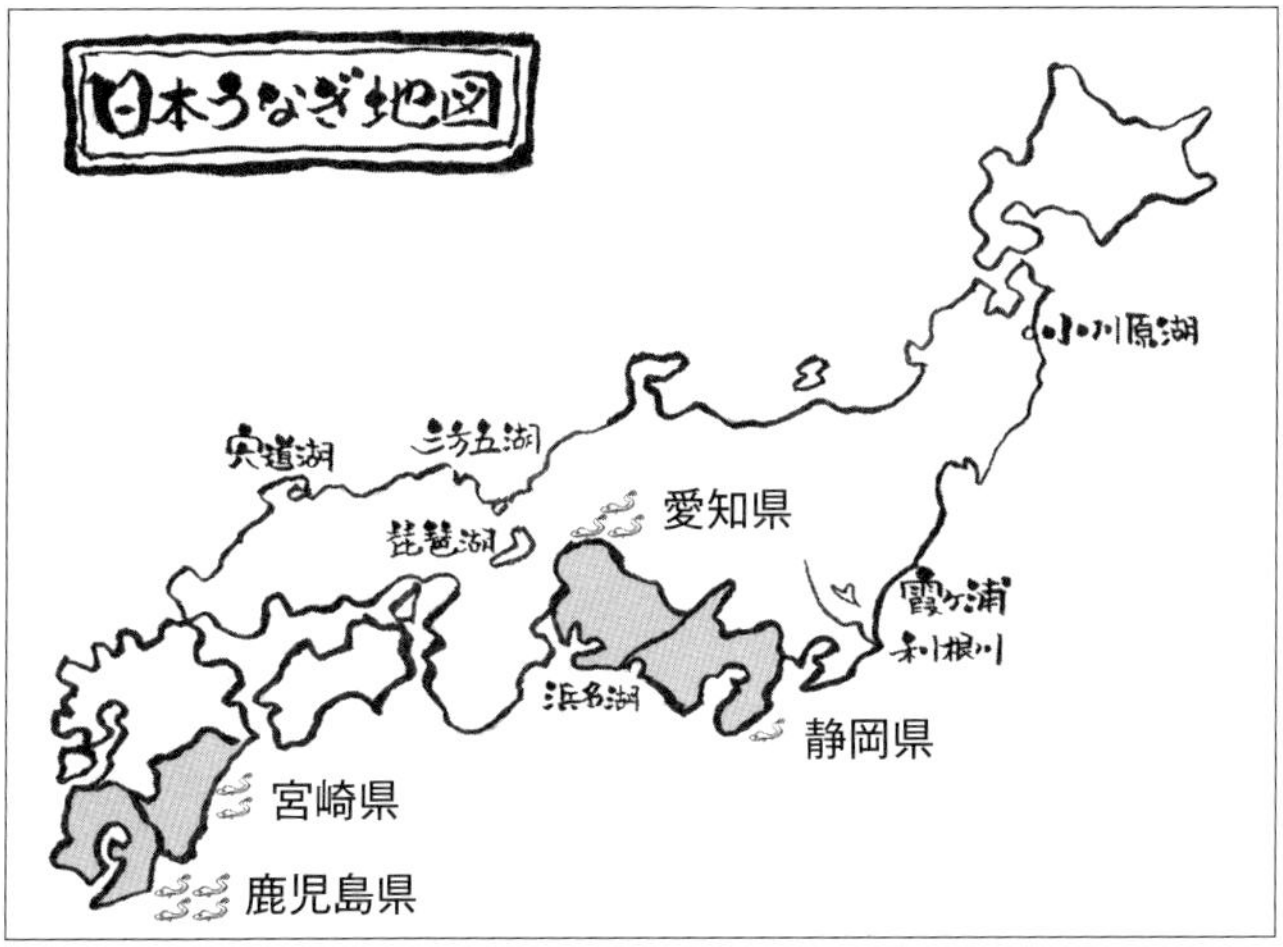

そんなわけで、天然うなぎの産地と養殖うなぎの産地を、地図にまとめました。

天然うなぎの北限はずっと青森県の小川原湖《おがわらこ》と言われてきましたが、２０２２年に、北海道でも天然うなぎが捕れたという驚きのニュースがありました。環境の変化による生態系の変化を示すわかりやすい例でしょう。

一方、養殖うなぎの産地を生産量の多い順に紹介すると次のとおり。

①　鹿児島県　全体の約40％
②　愛知県　全体の約30％
③　宮崎県　全体の約20％
④　静岡県　全体の約10％

この上位4県で全国の生産量の90％以上を占めています。

02 天然うなぎのいる場所

天然うなぎの四大産地をあげると、湖沼では霞ヶ浦《かすみがうら》（茨城県）、琵琶湖《びわこ》（滋賀県）、三方五湖《みかたごこ》（福井県）、宍道湖《しんじこ》（島根県）でしょう。河川では利根川《とねがわ》、四万十川《しまんとがわ》、球磨川《くまがわ》、筑後川《ちくごがわ》などがあります。現在も天然うなぎが日本各地に存在していることは確かですが、個体数は減少しています。

そもそもうなぎは、広大な海を泳ぎ回っている回遊魚《かいゆうぎょ》です。産卵場所は、南太平洋のマリアナ諸島西方海域とわかりました（Ｐ64）。赤ちゃんうなぎは漂いながら、潮の流れに乗って、２０００㎞を旅して日本までやって来ます。回遊魚ですから当然のことですが、ものすごい距離を泳いでいるわけです。

海から川に入り、餌《えさ》が多く流れもゆるやかで、隠れるところもたくさんある河口付近に棲《す》みます。環境としてうなぎに一番いい場所は、海の水と川の水が入りまじる汽水《きすい》です。ですから、浜名湖《はまなこ》や宍道湖などの汽水湖《きすいこ》には昔から天然うなぎが棲《す》んでいました。そして、そこで棲み家を得られなかったうなぎは、新天地を求めて川をどんどん遡上《そじょう》していきます。うなぎが遡上するからこそ、利根川や四万十川などの川でも天然うなぎが捕れました。

日本における天然うなぎの漁獲量は、国立研究開発法人水産研究・教育機構の資料によると、第二次大戦などでの一時的な落ち込みはあるものの、1960年代までは3万トン程度でした。それが、1970年以降減少していきます。この頃は高度経済成長に乗ってダム、水門《すいもん》、河口堰《かこうせき》などの人口構造物がたくさん建設された時期であり、河口付近でシラスウナギを捕って、人の手で育てる養鰻業が盛んになった時期でもあります。

愛知県や静岡県が近年行った調査では、川に遡上せず、海で過ごす「海うなぎ」が4割ほど、河口などの塩分の混ざった汽水域で過ごす「汽水うなぎ」が4割ほど、淡水で育った「川うなぎ」は2割ほどとのこと。うなぎが遡上しにくくなっていることは数字の上でも明らかです。さらに乱獲《らんかく》や河川環境の悪化、気候変動、海流の変動などさまざまな要因が重なり合って日本付近に回遊してくるシラスウナギの数そのものも減ってしまいました。

現在、天然うなぎは簡単には食べられません。価格も時価。平均で、専門店の通常のうな重の3倍から4倍程度です。食べたい方は、お店のウェブサイトやSNSなどをつぶさに見て、「天然うなぎ入荷」などの情報を探すしかありません。産地の近くは入荷しやすいので、うなぎ漁の時期に産地に行けば、運よく出会える機会もあるかもしれません。

03 産地解剖 其の一
天然うなぎ 関東篇

① 産卵を控えた「下りうなぎ」▼利根川（千葉県）

日本一の流域面積を誇る利根川は、昔から天然うなぎ漁が盛んでした。漁獲量が激減した現在も、うなぎ漁は行われています。利根川の漁は「うなぎ鎌漁《かまりょう》」と呼ばれ、秋から初冬にかけての利根川の風物詩になっています。うなぎ鎌《かま》という、長い柄の先に鎌状のカエシがついた漁具で、低速で走る船の上から川底のうなぎを掻《か》きとります。

この時期に捕れる利根川のうなぎは「下りうなぎ」といって、江戸時代から「利根の下り」「下総《しもうさ》下り」と呼ばれて別格扱いされてきました。産卵で海に向かうために川を下ってきたもので、メスだけに皮もやわらかく、長さが1m、重さが1kgを超えるものも珍しくありません。このような大物をこの辺りでは「ボッカ」と呼びます。雌雄同体のうなぎですが、研究は進んでいるもののメス化する仕組みも、妊娠の仕組みも現在のところわかっていません。時季には、**うなせん（千葉県香取市《かとりし》）**、**割烹《かっぽう》たべた（千葉県香取郡東庄町《とうのしょうまち》）**などで、天然うなぎの扱いがあります。

② うなぎで街おこし「うなぎ村」▼ 霞ヶ浦（茨城県）

茨城県南東部に広がる霞ヶ浦は、日本では琵琶湖に次ぐ大きな湖です。

2023年6月、霞ヶ浦湖岸に、漁体験と料理が楽しめる**うなぎ村《むら》（茨城県かすみがうら市）**がオープンしました。運営するのは、麦わら帽子とサングラスがトレードマークの天然うなぎ漁師《りょうし》三代目《さんだいめ》・麦《むぎ》わら村長《そんちょう》。私も訪ねた折に、霞ヶ浦のうなぎをじっくり見せてもらいました。中には村長が「ウナコンダ」と呼ぶ1kg超えの太物《ふともの》もいました。どれも背中は茶色っぽい深緑色で胸が黄色。その美しさに万葉《まんよう》の時代から続くロマンを感じました。

捕れたうなぎは村長自ら調理してくれます。霞ヶ浦産のうなぎの特徴をたずねると、「じっと泥の中に棲《す》みついて、餌を食べては寝るという生活を送っている。あまり動かないので身がやわらかく、皮も薄くパリッと仕上がる。骨だって気にならない」とのこと。私もいただきましたが、村長が研究した調理法のおかげもあってか、良質の脂で旨みを閉じ込めた正に一級品のおいしさでした。漁体験などを通して自然の恵みに感謝する機会をいただきました。

現在は河口堰などができて、天然うなぎはごくわずかになっていますが、茨城県が稚魚《ちぎょ》の放流事業を行い、天然うなぎを保護しています。うなぎ村での漁体験と料理はかすみがうら市のふるさと応援寄附から申し込みできます。

③ 浮世絵にも描かれた海道一の名産地 ▼ 浜名湖（静岡県）

うなぎといえば浜名湖をイメージされる方も多いと思います。『東海道中膝栗毛《とうかいどうちゅうひざくりげ》』には浜名湖西岸の荒井宿《あらいじゅく》（静岡県湖西市新居町《こさいしあらいちょう》）で名物の蒲焼を食べた様子が書かれています。歌川広重《うたがわひろしげ》も『東海道五十三次名所図会《とうかいどうごじゅうさんつぎめいしょずえ》』の三十一番に「荒井　名ぶつ蒲焼」を描いており、江戸時代から浜名湖産のうなぎの蒲焼が名物になっていたことが窺えます。

現在も浜名湖では、5月上旬から年末まで、複数の筒を湖内に仕掛ける「つぼ漁」と、浜名湖の伝統的な定置網漁「角立網漁《かくだてあみりょう》」で漁が行われています。うま味がありながらあっさりした独特の味わい。漁獲量が少なく、希少性が高くなっていますが、**うなぎさくめ（静岡県浜松市北区《はままつしきたく》）**など、時季には天然うなぎを扱う店もあります。

日本の食文化であるうなぎを守りたいという思いから生まれた「浜名湖発親うなぎ放流連絡会」は、浜名湖で育った親うなぎを市場で買い上げて放流する資源回復活動を、官民一体となって行っています。

④ 都人を虜にした「口細青うなぎ」▼三方五湖（福井県）

三方五湖《みかたごこ》は、福井県西部にある三方湖《みかたこ》・水月湖《すいげつこ》・菅湖《すがこ》・久々子湖《くぐしこ》・日向湖《ひるがこ》の五つの湖の総称です。古くより食の宝庫として知られ、多種多様な魚介類が捕れます。海水の日向湖をのぞいて江戸時代から伝統の「うなぎ筒漁《つつりょう》」が行われています。筒で捕れたうなぎは傷がつかないため、小さなうなぎはそのまま湖に返しても弱ることなく成長できます。決して効率がいいとは言えない、昔ながらの漁法が守られ続ける理由は、貴重な天然うなぎの乱獲を防ぐためでもあります。

三方五湖産うなぎの特徴は、身が肉厚かつやわらかで、味わいが上品なこと。中でも三方湖のうなぎは「口細青鰻《くちぼそあおうなぎ》」と呼ばれ、江戸時代には東西の美味名品が結集していた京都で、都人《みやこびと》たちから「いちばんおいしいうなぎ」と称されていた、という文献も残っています。細くとがった口と青みがかった背、丸く太い尾が特徴。口細なのは、淡水と海水が入り混じる水月湖近辺の泥底に生息する沙蚕《ごかい》を好んで食べているからといわれ、脂ののりが良く、栄養価も高いとのこと。

三方駅から三方湖へ至る道沿いには、創業100年の**うなぎや源与門《げんよもん》**、**うなぎ料理《りょうり》徳右ェ門《とくえもん》（福井県三方上中郡若狭町《みかたかみなかぐんわかさちょう》）**があり、時季は天然うなぎを扱っています。

035 産地解剖 其の三
天然うなぎ 関西・中国篇

⑤ 大阪まで続いた鰻街道 ▼ 宍道湖（島根県）

良質な魚介を数えた宍道湖《しんじこ》七珍《ななちん》。そのうちの一つにうなぎも入っています。

江戸時代、出雲《いずも》の宍道湖から、一大消費地大阪へ生きたままのうなぎを運ぶ「鰻街道《うなぎかいどう》」があり、かつて大阪には「出雲屋《いずもや》」という屋号のうなぎ屋がたくさんありました。織田作之助《おださくのすけ》の『夫婦善哉《めおとぜんざい》』にも「新世界《しんせかい》に二軒、千日前《せんにちまえ》に一軒、道頓堀《どうとんぼり》に中座《なかざ》の向いと、相合橋東詰《あいあうばしひがしづめ》にそれぞれ一軒ずつある都合五軒の出雲屋の中でまむしのうまいのは……」という一節があります。現在も「出雲屋」と屋号につくうなぎ屋は日本各地にあり、かくいう私に鰻街道の話を教えてくれたのは、現在は閉店してしまった船場《せんば》の「いづもや」の女将でした。また、**日本橋いづもや**（**東京都 中央区《ちゅうおうく》日本橋《にほんばし》**）も、初代は出雲出身でした。

宍道湖の漁期は4月1日～12月31日。カゴ、竹筒、延縄《はえなわ》、定置網などで捕ります。焼けば皮がパリッとして、骨もやわらかいのが特徴。宍道湖のうなぎの漁獲量は年々減少しており、やはり放流事業でうなぎを保護しています。

⑥ 浮世絵にも登場する瀬田前 ▼ 琵琶湖（滋賀県）

歌川広重《うたがわひろしげ》の1852（嘉永5）年の作品、『浄瑠璃町《じょうるりまち》 繁花《しげるはな》の図』には町のさまざまな物売りに扮した登場人物が描かれています。その中のうなぎ屋の前には「瀬田前《せたまえ》 かばやき」の文字が見えます。瀬田前の瀬田とは、瀬田川《せたがわ》のこと。瀬田川は淀川の支流で、琵琶湖に通じています。瀬田川が琵琶湖に流れ込むあたりは、その昔、瀬田唐橋《せたからはし》という橋がかかっており、やはり広重作の『近江八景《おうみはっけい》』「瀬田夕照《せたのせきしょう》」に、この橋が描かれています。琵琶湖は室町時代から瀬田川とつながっており、大阪湾から淀川《よどがわ》、瀬田川、そして琵琶湖へ、うなぎが遡上していました。

1754（宝暦4）年初版、江戸中期の名産品を集めた図集『日本山海名物図会《にほんさんかいめいぶつずえ》』にも瀬田前うなぎが掲載されており、このころすでに名物だったことが窺えます。

琵琶湖産うなぎの特徴は、湖の水深が深いために背が黒く、スジエビやアユなども食べるのでうま味があり、大きく育ちます。時季には、創業400年の**うなぎ料亭《りょうてい》 山重《やまじゅう》（滋賀県大津市《おおつし》）**などで天然うなぎを扱っています。

現在は、淀川の治水工事や、ダムの建設で大阪湾から稚魚が遡上できなくなったため、「滋賀県漁業協同組合連合会」が稚魚を買いつけて放流しています。

06 うなぎの養殖が盛んな場所

養殖うなぎの四大産地をあげるなら、鹿児島県、愛知県、宮崎県、静岡県でしょう（P127）。養殖の歴史を辿ると、それぞれの土地で、エポックメイキングがありました。スタートは東京でした。第二章でもご紹介したとおり（P60）、明治に入ってしばらく経ったころ、深川に池を作ってうなぎの餌付けを始めたのが服部倉次郎《はっとりくらじろう》。もともと川魚商の家に生まれた倉次郎は、水揚げされたものの売り物にならないクロコウナギ（子どもうなぎ）に目をつけ、池で餌付けして成魚に育ててあげます。倉次郎の成功に触発された人々の協力を得て養殖が本格的に開始され、歴史が紡がれていきます。

舞台は静岡、愛知など、東海地方へ移動します。昭和の戦争の時代を経て、1955（昭和30）年ごろから始まった高度経済成長期には、各地で建設ラッシュが続き、うなぎが川に遡上しにくくなります（P62）。ちょうどそのころ、1959（昭和34）年に起きた伊勢湾台風で、東海地方の水田が壊滅的な打撃をうけ、愛知県の三河一色（現西尾市）あたりでは、県主導で水田から養鰻場へと転換がはかられます。もともと水田と養鰻場は親和性が高く、静岡県の大井川水域も水田を転用して養殖がさかんになっています。

産業発展の影には必ず技術革新があるもの。1970年代に障壁となっていたのが、クロコウナギの不足と、寒さが苦手なうなぎの越冬でした。それを解消したのが浜松市のうなぎ養殖研究者の村松啓次郎《むらまつけいじろう》。クロコウナギよりさらに若いシラスウナギからの養殖を成功させ、冬季の魚病《ぎょびょう》防止のために始めたハウス式温水養殖法を確立。養殖期間が大幅短縮されます。これによって、日本各地に養殖が広がっていきました。

近年は鹿児島をはじめ、コンクリート製・ビニール製の水槽や循環ろ過装置の導入など、養鰻池の改良が進んでいます。水温調節や人工光照などにより、季節や気候に左右されず、一年中養殖することも可能になりました。

専門機関による研究も進んでいます。うなぎは雌雄同体ですが、メスのうなぎはオスに比べて大きくなり、身がやわらかいことが知られています。しかし、養殖うなぎの9割以上はオスになってしまいます。理由はいまだにわかっていません。西尾市にある「愛知県水産試験場内水面漁業研究所」では、大豆イソフラボンをシラスウナギの餌にまぜて与えることで、養殖うなぎの9割以上をメスにすることに成功しました。葵うなぎと名付けられて愛知の新しいブランドうなぎとして出荷されています（P141）。

07

産地解剖 其の四
うなぎ生産量日本一の県 鹿児島県

「うなぎ養殖が最も盛んな都道府県は？」という問いに、鹿児島県、と答えられる人は、意外に少ないように思います。鹿児島県は、1998年にうなぎ養殖生産量日本一となってから四半世紀以上トップを走り続けています。最新の統計（2022年）では、前述のとおり、国内シェアの40％以上を占めています（P127）。

鹿児島県は、南国特有の温暖な気候で、良質な地下水、広大な土地、とうなぎを育てるのに適した環境がそろっています。太平洋に面した大隅半島《おおすみはんとう》では、1960年代、黒潮に乗って日本に帰ってきたシラスウナギがたくさん捕れました。当時は、静岡などへ出荷するほどの漁獲量でした。同時に、鹿児島の主要な産業の一つであるさつまいもでんぷん産業に陰りが見え始め、それらの施設を利用して、さつまいもからうなぎ養殖への転業をはかるケースが増えました。

ここでも技術革新が生産量増加に一役買います。ポンプでうなぎを移送する「フィッシュポンプ」という装置、通称「うなポン」を楠田茂男《くすだしげお》さん（現大隅地区養まん漁業協同組合・

代表理事組合長）が開発したことです。養鰻家は、それまで地引網風《じびきあみ》にうなぎを集めて運んでいた重労働から開放されることになり、これをきっかけに新規参入が増えたといいます。また、経験値を生かした「大隅方式」とも「楠田方式」とも呼ばれる養殖のノウハウは、生産性の向上に大きく寄与しました。

大隅地区は、「台風銀座《たいふうぎんざ》」と呼ばれるくらい台風の多い地域です。ここでの一般的な養鰻場は、補強した屋根をつけたビニールハウスの中にコンクリート製のプールを作っています。水へのこだわりもこの地区の特徴。日本の名水《めいすい》にも選ばれるミネラル豊富な霧島山系《きりしまさんけい》の地下水を使い、どこの養鰻場も、1日に何度も水質検査を行って、徹底した水質管理をしています。私がかつて会った養鰻家の中には、「うなぎのおいしさは育つ環境によって大きく左右されるので、うなぎを育てているというよりは、水を育てている感覚に近いです」という方もいるほどです。また、うなぎを健康に育てるために、水温や水位などの異状には即座に対処できるシステムがとられています。2005年には、日本で初めて**山田水産《やまだすいさん》株式会社有明事業所（志布志市《しぶしし》）**が無投薬養殖に成功しました。

鹿児島で大隅産のうなぎを食べるなら、創業80年の**うなぎの松重《まつじゅう》（鹿児島市）**などが人気です。

02

産地解剖 其の五

うなぎ生産量日本一の市がある県 愛知県

愛知県も国内有数の養殖うなぎの産地です。１９８３年からうなぎ養殖生産量日本一を誇ってきました。現在は鹿児島県に抜かれてしまいましたが、第2位の座をキープしています。ちなみに市町村単位では、愛知県の西尾市《にしおし》（旧一色町《いしきちょう》）が2位以下を大きく引き離して、１９８３年から現在まで、日本一の地位を不動のものとしています。また、「一色産うなぎ」はブランドとして商標登録もされています。

愛知県のうなぎ養殖の始まりは、１８９４年に日本初の水産試験場が設立された際にコイやボラの池で一緒にうなぎを養殖したのが起源だといわれています。愛知県の養鰻業発展のきっかけは、前述のとおり１９５９年の伊勢湾台風です（Ｐ１３６）。水田事業からうなぎ養殖へ転換の後、１９６１年から矢作古川《やはぎふるかわ》の河川水を利用するため、養鰻専用水道が整備されました。この専用水道は、河川の水を取り入れて、うなぎを自然の中で生かすのと同じ環境で生育させるという画期的な施設でした。より自然に近い状態にするため池の底は土が敷き詰められており、育てられたうなぎは、より天然に近いといわれています。

2021年、「愛知県水産試験場内水面漁業研究所」（西尾市）で、餌に大豆イソフラボンを混ぜることで、養殖うなぎの9割以上をメスに育てられるようになったのは、前述のとおりです（P137）。これは、オスより身がやわらかいというだけにとどまらず、短期間で大きく成長し、おいしいうなぎを作り出すことに成功した、という意味でもあります。大きく育てることで、限りあるうなぎ資源の有効利用が可能になり、愛知県産うなぎの供給量拡大を図ることにもなりました。これらのうなぎは、「一色うなぎ漁業協同組合」と共同で、養殖現場での実証試験を経て**葵うなぎ**のブランド名で販売が開始されました。「あ」いちの「お」おきな、「おい」しいうなぎという意味と、うなぎ養殖が盛んな愛知県三河地方で生まれた徳川家康公にあやかっての命名です。

私も養殖業・活鰻卸《かつまんおろし》の**兼光淡水魚《かねみつたんすいぎょ》（西尾市《にしおし》）**と取引のある**入谷《いりや》鬼子母神《きしぼじん》門前《もんぜん》のだや（東京都台東区《たいとうく》入谷《いりや》・P68）**で、この「葵うなぎ」をいただきました。通常のうなぎの倍の大きさにも関わらず、「のだや」の技も相まって、皮も箸で切れ、身もふわふわのやわらかさ。脂のりも良くうなぎの甘味を感じました。

西尾市には、兼光淡水魚が運営する**うなぎの兼光《かねみつ》**、三河淡水グループが運営する**うなぎ割《かっ》烹《ぼう》みかわ三水亭《さんすいてい》**など、養鰻場が運営するうなぎ屋があります。

09 産地解剖 其の六
うなぎ総合企業 宮崎県

宮崎県では、1970年代から稲作転換等により県中部の旧佐土原町《さどわらちょう》（現宮崎市）及び新《しん》富町《とみちょう》を中心にうなぎ養殖が発展しました。太平洋に面した大淀川《おおよどがわ》や一ツ瀬川《ひとつせがわ》など日向灘《ひゅうがなだ》へと注ぐ河川は、天然うなぎの遡上ルートであり、古くからシラスウナギ漁が行われていました。それに加えて、南国・宮崎のイメージのとおり、真冬でも平均気温は7℃前後と年間を通して温暖な気候がうなぎの養殖に適していました。

宮崎県でうなぎを語るのに、はずせないのが**株式会社大森淡水《おおもりたんすい》（宮崎市）**です。前述のとおり（P90）本書の執筆にあたり、取材させていただきました。大森淡水は、自社養殖はもちろんのこと、宮崎と鹿児島の信頼できる腕利き養鰻場と提携し、活鰻流通、蒲焼加工品の製造及び販売、レストラン、と一次産業から三次産業まで行う、日本最大の国産うなぎ専門商社です。

養鰻場の朝は早いです。真冬の朝5時、まだ暗いうちから大勢の方が働いています。6時ごろから給餌《きゅうじ》が始まります。餌は飼料メーカーとともに研究を重ね、成長段階ごとに変更しています。宮崎県の養殖法は「宮崎方式」と呼ばれています。養鰻池の底に砂利を被せ、養殖池自体にバクテリアによる生物ろ過機能を持たせて循環式養殖を可能としています。実は私が「大森淡水」を訪れるのは、今回が2度目で、前回２０１５年に見学した時は秋の出荷後でした。完全に排水された養鰻池は、洗浄後に天日干しによる消毒を行っているところでした。こうして安定した水質を保つことで、疾病予防、高い生産性、高品質のうなぎの生産、という好循環を可能にしています。

今回は、大森清志《おおもりきよし》専務にお話を伺いました。産地問屋の機能も有する大森淡水は、日本全国北は北海道まで、遠方には空輸で新鮮な活鰻を届けており、安全と味へのこだわりは、一方ならぬものがあります。「日本一の国産うなぎを消費者に届ける」という理念のもと、出荷サイズに成長したうなぎと出荷直前のうなぎは、蒲焼にして官能検査を行い、うなぎの香り、やわらかさ、味などを人の五感で判定し、養鰻場にもフィードバックしています。これらのうなぎは、宮崎では大森淡水が運営するレストラン**うなぎ処《どころ》 鰻楽《まんらく》（宮崎市）**や、**うなぎ居酒屋《いざかや》 西口商店《にしぐちしょうてん》（宮崎市）**などで味わえます。

そのほか宮崎県には、規模の大小を問わず、おいしいと評判の養鰻場が多く、人気のブランドうなぎを育てる養鰻場もあります（Ｐ31）。

三〇 産地解剖 其の七

うなぎ養殖発祥の地 静岡県

「うなぎの養殖といえば浜名湖」というイメージを抱く方は多いのではないでしょうか。その理由は、浜名湖がうなぎ養殖発祥の地として認知されているからだと思います。浜名湖のうなぎの養殖の始まりについては諸説ありますが、いずれにしても本格的なうなぎ養殖が始まったのは浜名湖周辺であることは間違いありません。

浜名湖周辺でうなぎ養殖が盛んになった理由は、うなぎの稚魚が浜名湖で捕れたこと、温暖な気候で養殖に必要な地下水が豊富だったこと、紡績業の盛んな浜松ではうなぎの餌になる蚕《かいこ》が容易に手に入ったことに加えて、大消費地の東京と大阪を結ぶ東海道の中間地点という物流にとって好立地だったことも見逃せません。

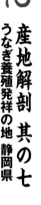

現在は、養殖うなぎの生産量4位の静岡県ですが、1970年代は全国シェアの7割を占めていました。その理由は、静岡県にある産地は浜名湖だけではないからです。県中部の大井川下流域は浜名湖周辺をしのぐほど、うなぎの養殖の盛んな地域です。

大井川河口東岸の志太郡大井川町《しだぐんおおいがわちょう》（現焼津市《やいづし》）では1918（大正7）年、西岸の榛原郡《はいばらぐん》吉田町《よしだちょう》では1922（大正11）年にうなぎ養殖が始まりました。この地域で養鰻池が増えた背景には、大井川の河底隆起による水田の壊滅的な打撃がありました。隆起の原因はいまだはっきりしていません。しかしながら、この苦境を乗り切るために水田や休耕田が養鰻池に転用されました。大井川の伏流水《ふくりゅうすい》が豊富で、近くに焼津などの漁港があり、うなぎの餌になる鮮魚が安価で手に入ったことは大きな利点でした。静岡県の養鰻の歴史は100年以上になります。養鰻がさかんな地域はどこも、静岡の養殖技術を手本として発展してきたといいます。どこよりも長い研鑽《けんさん》の歴史を持つのが静岡県なのです。

最盛期には、養鰻場は浜名湖周辺だけで150軒以上ありました。しかし、現在その数は30軒以下に激減してうなぎ生産量の減少につながっています。とはいえ、未来を照らす光もあります。静岡県立焼津水産高等学校はうなぎの養殖を学べる全国でも極めて珍しい高校です。養鰻池が10面あり、ここで2万匹のうなぎを育てています。大井川の豊富な伏流水で、無投薬で育てており、うなぎ生産者へ弟子入りしている卒業生も多くいるとのことです。

静岡県にはブランドうなぎの先駆けとなった養殖うなぎがあります。養鰻場**共水《きょうすい》（焼津市）**が提供する**大井川《おおいがわ》共水《きょうすい》うなぎ**を静岡で味わうなら、**うなぎ大嶋《おおしま》（浜松市南区《みなみく》）**などがおすすめです。

《其の五》

運《うん》気《き》鰻《うなぎ》昇《のぼ》り

泰正養鰻《たいせいようまん》　代表取締役　横山桂一《よこやまけいいち》さん

横山さんは、鹿児島の大隅地区で養鰻場を営む方です。普通、一般人が養鰻場の様子を知る術はないのですが、横山さんは、SNSで朝早くから写真をポストされていて、私が養鰻場の仕事を知るきっかけになりました。何を聞いても丁寧に教えてくださり、こんなに手間暇かけて、愛情深くうなぎを育てているのか、と感動すると同時に、だから我々はおいしいうなぎが食べられるのだな、と一うなぎファンとして感謝しました。これはもう、養鰻場の方というより「養鰻家」だなと、思わず新しい言葉を生み出してしまったくらい、私の中では養鰻家、イコール横山さんです。

給餌は1日2回。魚粉、魚油、水などを混ぜて餌作りする（左）。泰正養鰻のハウス式温水養殖池（右）。うなぎの大きさや成長段階に合わせて、何段階にも分けて飼育している

質問一◉　自己紹介をお願いします

父が1989年にここで養鰻場を始めました。私が継いで3年ほどになります。たまたま暇だった時に、SNSをやっていて、養鰻場のことをポストしたら、意外に興味を持ってくださる方がいて、高城さんとつながりました。高城さんがあまりにもうなぎを食べるので、「このおじさん何だろう？　こんなにうなぎ食べるの？」と、びっくりしました。7年ほど前に、八重洲の老舗、**はし本（東京都中央区日本橋）**《ちゅうおうくにほんばし》の橋本君ともつながって、「僕の育てたうなぎ、食べてください」と送ったところ、「おいしいから扱いたい」と言ってくれました。それをきっかけに専門店と直接取引するようになり、現在は「横山さんの鰻」という名前で、育てたうなぎ全体の3割ほどを専門店に卸しています。

質問二◉　「横山さんの鰻」の特徴を教えてください

うちのうなぎの特徴は「雑味《ざつみ》のなさ」です。色でいえば「白」。そういううなぎをめざしています。雑味のないうなぎを育てるために大切なことは、水の管理と餌です。水という点では、この大隅地区は地下水が豊富で水に恵まれた土地ですし、一日に何度も定期検査をして、少しでも異状があれば調整しています。餌については、うなぎの養殖が始まって50年、養殖の技術はある程度確立されていて、こういううなぎにするためには、こういう餌、というのもわかっているので、それにオリジナルの改良を加えて行く形です。

うなぎは本当にシンプルな食材で、調理法は白焼か蒲焼です。そうなると、素材の味次第です。人間が持つ五味のうち、素材としてのうなぎが持つ味は、脂の甘味と身のうま味だけです。食べる方はその2つを舌で感じて、好みかどうかで、「おいしい」かどうかを判断します。ですから、ストライクゾーンを広げることは狙わず、自分がめざすうなぎを忠実に育てて、好きだと思ってくださる方に届けることを、第一にしています。

質問三◉「横山さんの鰻」が生まれた経緯を教えてください

SNSで橋本君とつながって、うちのうなぎを扱いたいと言ってもらったものの、それまで専門店とは取引がなかったので、送り方もわからず、最初は「送れません」と答えていました。我々の仕事は本来、育てて問屋さんに卸して終わりですから、父にも「和を乱すようなことはするな」と言われました。それに、専門店の立場に立って考えても、私が一年中提供できるわけでもないので、もともとの仕入れ先を大事にしていただかないことには成り立ちません。橋本君はそのあたりを、然るべき相手に丁寧に説明してくれて、OKの返事をもらってくれました。そこで、私も問屋機能を備えた「泰斗商店《たいとしょうてん》」を起ち上げて、なんとか取引できる形になりました。そのうち、**クラカワ（埼玉県さいたま市浦和区《うらわく》）**さん、**ひつまぶし しら河《かわ》（愛知県名古屋市西区《なごやしにしく》）**さんなど、扱ってくださるお店が徐々に増えました。今でこそ卵や野菜に、育てた方のQRコードがつく時代になりましたが、7年ほど前にうなぎの世界で橋本君がやったことは、画期的だったと思います。

質問四◉ 大変だったこと、やってよかったことを教えてください

毎朝2時40分に起きて3時から仕事をして、「朝早くて大変ですね」とよく言われますが、育てることは、空気を吸うみたいにできちゃう当たり前のことなので、大変だとは思いません。でも、自社の商品を「売る」ということの大変さは初めて知りました。

ただ、普通に養鰻場をやっていたら、うなぎ専門店の方々と話すこともなかったですし、うなぎを食べるお客様が、喜んでくださっているかどうか、想像することすらしなかったと思います。育てて終わりですから。でも、専門店の技術って本当にすごいです。本気で向き合っている料理人と話すのが楽しい、お客様に喜んでいただけるかビクビクしたり、ワクワクしたりするのが楽しい、そういう楽しさを知ってしまったわけです。私の上には養鰻の歴史を創ってきた先人や、先輩がたくさんいて、私など養鰻家としてはちっぽけな存在ですが、私ほどこの仕事を楽しんでいる養鰻家はいないんじゃないかな、という自信はあります。

質問五◉「うなぎ」とは、あなたにとって何ですか？

私には取引の条件があって、「会ったことがある人」「信頼する人の紹介」「うちに来たことがある人」の3つです。今の取引先はいいお店ばかりで、みなさん、うちのうなぎが大好きなんです。私のことも好きだし、私も好きな方ばかりなので、同じ方向を見ていられるんです。私がうなぎを精一杯育てて、そこから先は、それぞれのプロに任せて初めて完成で、食べた方がおいしいと言ってくれたり、それを知ってまたがんばろうって思えたり、私にとってうなぎとは、「人と人をつなぐもの」です。

うなぎとは「人と人をつなぐもの」

2024年2月14日「泰正養鰻」にてインタビュー

「運気鰻昇り」の色紙を手にした横山桂一さん

第六章

2つのキーワードで読むうなぎ

01 白焼VS蒲焼

白焼：素焼きとも言い、開いた魚をそのまま焼いたもの
蒲焼：主に細長い魚を開いて、たれをつけて焼いたもの

「うなぎをごちそうするよ」と言われて、喜びいさんででかけていって、白焼だけ出てきたら、ちょっとがっくりしませんか？「うなぎ」と言われたら、ほとんどの方が、白いご飯に上に蒲焼が載ったうな重を想像するものです。これだけ聞くと、この勝負、蒲焼に軍配があがりそうなものですが、さて如何《いか》に⁉

白焼は、蒲焼になる前の素焼きの状態。完成前じゃないか、と侮《あなど》るなかれ。むしろうなぎそのものの味が楽しめる一品なのです。うなぎは、産地や環境によって味が異なります。シンプルに焼いただけなので、養鰻家、問屋、職人、食卓にのぼるまでに経た、すべての仕事がストレートに味わえるといっても過言ではありません。焼き方も、関東では口に入れた時のねっとり感、関西では地焼きのぱりさく感を蒲焼以上に楽しめます。最近では、関東でも地焼きの白焼を出す店が増えてきました。**うなぎ久保田《くぼた》（東京都千代田区外神田《ちよだくそとかんだ》）**は、関西風白焼を半身《はんみ》でも頼める店。ちょっと一杯やるには最適です。うなぎ専門店ではわさび醤油が添えられるのが一般的ですが、店次第なので、その店の好みもわかります。ちなみに私のお気に入りは、山椒塩《さんしょうじお》。山椒はテーブルにありますから、こだわりの塩が出てくるような店には「おっ」と、一気に親近感を覚えます。

一方、蒲焼にはすでにたれでしっかり味がついています。うなぎ専門店の命とも言うべきたれをまとった蒲焼は、店の命を味わえる一品。ご飯という最高のパートナーを得て、蒲焼は「うな重」という総合芸術にまで昇華しました。

どちらも、うなぎを捌いて焼いたもの。いずれにせよその技は「串打ち三年、捌き八年、焼きは一生」といわれるように極めて奥深いのです。私はこれまでに、何人もの名人・達人と呼ばれるうなぎ職人に話を伺いましたが、異口同音《いくどうおん》に「毎日焼いていても新たな発見がある。さらに高みがある」と究極の技を目指しています。どんなベテランも、毎日異なる素材と、刻一刻と変わる火と闘い続けているのです。ですからうなぎを食べる喜びは、四百年、連綿《れんめん》と受け継がれた伝統の技を味わうことでもあるのです。さらに、白焼はお酒のパートナー、蒲焼はご飯のパートナー。それぞれ役割が異なるので、ここは引き分け！

02 うまき VS うざく

うまき：うなぎを卵で巻いたもの
うざく：うなぎとうり（きゅうり）をざく切りしたもの

うなぎ屋のメニューをめくると、うな重、白焼、蒲焼のほかに、うなぎを使った料理がいくつか登場するもの。その代表選手がうまきとうざくです。うまきは卵をいくつも使い、手間もかかれば技も必要。一方うざくは切って和《あ》えるだけ。なのに同じくらいの値段とは、「うまきが割を食っている！」とは、うまきファンの言《げん》。さて、この勝負や如何に？

ふわっふわの玉子に濃厚なうなぎのうま味がしみたうまき。そもそも「卵焼き」というと、関東では甘めに調味し、少々焦げ目がつくまで焼く「厚焼《あつや》き玉子」を指し、関西ではだしを効かせて焦がさず焼いた「だし巻《ま》き玉子」を指します。その違いが、うまきにも踏襲され、関東のうまきは、甘くない蒲焼に甘い玉子、関西のうまきは、甘い蒲焼に甘くない玉子というのが一般的。東と西でテレコになっています。そして、中に入るうなぎは、大きいままの店、切る店、そぼろの店もあります。巻き方も、丸く仕上げる店もあれば四角く仕上げる店もあり、お店のカラーがでます。「うまきコンテスト」優勝経験のある**うなぎ割烹《かっぽう》にし村《むら》（千葉県松戸市《まつどし》）**の店主のうまきは、ゆるやかなカーブが美しい、さすが！　のうまきでした（P8）。兎にも角にもうなぎと卵の相性は抜群です。

うざくは、うなぎときゅうりの酢の物で、三重県の郷土料理といわれています。濃厚なうなぎの風味と、さっぱりとしたきゅうりの味わいが対照的で、夏にはもってこい。うざくこそ、店によって千差万別《せんさばんべつ》です。蒲焼自体、店によって焼き方もたれも異なります。それをどう切るかもお店次第。稀《まれ》に白焼を使う店もあります。きゅうりも小口切りの店もあれば、千切りの店もあり、これまた食感がさまざま。そして、何より和え酢《あずす》に店の特徴が出ます。酢・醤油・砂糖をまぜた合わせ三杯酢《さんばいず》の店もあれば、三杯酢にみりんや砂糖を加えた甘酢の店、三杯酢にかつおや昆布のだしを加えた土佐酢《とさず》の店、味わいがまったく異なり、私は一時期、うざくめぐりにはまりました。中には、わかめなど海藻を入れる店、みょうがや生姜など薬味を入れる店もあり、まったく飽きませんでした。

そんなわけでどちらもうなぎ屋を物語る一品としてははずせません。今回も勝負はつかず、引き分け！　冬はうまき、夏はうざく、もありかもしれません。

03 江戸前うなぎVS旅うなぎ

江戸前うなぎ：江戸湾で捕れたうなぎ
旅うなぎ　：他の地域、特に江戸近郊で捕れて、旅をして江戸へきたうなぎ

そりゃあ何だって、土地の物が新鮮で一番！　江戸の街で江戸前うなぎが大変人気があった話は第二章でお話したとおりですが（P52）、現在のところ、その界隈のうなぎ事情はどうなっているのでしょう？

俳諧師の越谷吾山《こしがやござん》によって編纂された方言辞典『物類称呼《ぶつるいしょうこ》』のうなぎの項には、特に人気のあったのが浅草川《あさくさがわ》（隅田川の吾妻橋《あづまばし》から下流の別称）や深川で捕れたうなぎだとあります。浅草・日本橋界隈は現在も老舗の多い街です。寛政年間創業の**うなぎ割烹《かっぽう》大江戸《おおえど》**（**東京都中央区《ちゅうおうく》日本橋《にほんばし》**）は、創業地の浅草蔵前《くらまえ》、浅草田原町《たわらまち》、現在の日本橋本町《ほんちょう》と江戸前うなぎの歴史とともに歩んでいます。文化・文政年間創業の**駒形《こまがた》前川《まえかわ》**（**東京都台東区《たいとうく》駒形《こまがた》**）の通な客は、舟に乗って柳橋《やなぎばし》で遊んだ後、前川に寄ってうなぎを食べ、亀戸水神《かめいどすいじん》へ回ったそうで

す。なんと風流な。

一方旅うなぎは、「送りうなぎ」「江戸後ろ」などと呼ばれ、「辻売の 鰻はみんな 江戸後ろ」の川柳でわかるように、江戸前より安価でした。しかし、「丑の日に 籠でのり込む 旅うなぎ」というように、土用の丑の日には江戸前だけでは足りず、旅うなぎにも頼らざるを得なかったようです。旅うなぎの産地は主に千葉県、埼玉県です。手賀沼《てがぬま》（千葉県）で捕れたうなぎは「手賀のアオ」といい、江戸前に次ぐおいしさと評判でした。現在も手賀沼周辺には人気のうなぎ店があります。**炭火焼《すみやき》 鰻《うなぎ》 小暮《こぐれ》や**と**うなぎ お架川《がわ》 我孫子店（我孫子市《あびこし》）**は食べログ百名店にも選出されています。印旛沼《いんばぬま》（千葉県）も「印旛沼の縄うなぎ」の名で知られていました。成田《なりた》市街へ通じる宗吾街道《そうごかいどう》沿いや成田山参道には、**日本料理 菊屋（成田市）**など現在も多くのうなぎ屋が軒を連ねています。中山道《なかせんどう》の宿場町として栄えた浦和《うらわ》（さいたま市）でも、周辺の沼地で良質のうなぎが捕れました。この辺りにも、江戸時代中期から後期創業の**蒲焼《かばやき》 山崎屋《やまざきや》（さいたま市浦和区）**をはじめ30店ほどうなぎ屋があり、「浦和のうなこちゃん」をマスコットに「うなぎの町・浦和」をPRしています。

昔は完全に江戸前の勝ちでしたが、現在、うなぎ屋の数の上では、旅うなぎも大奮闘。不名誉な呼称にも耐え、思えば健気《けなげ》な旅うなぎ。判官贔屓《はんがんびいき》でここは旅うなぎの勝ち！

04 歌舞伎ＶＳ落語

歌舞伎：化政期、昼間の興行で、女性を中心に人気が出た
落語　：化政期、昼間働く男性のため、夜芝居噺《しばいばなし》が演じられ、人気が出た

『江戸前大蒲焼番付《えどまえおおかばやきばんづけ》』（Ｐ53）が出た文化・文政期、うなぎ人気は絶好調。ちょうどこのころ同じく人気絶頂だったのが、歌舞伎と落語です。この勝負は、歌舞伎と落語、どちらがうなぎとの関わりがより深いか、という一本。

まずは演目について。人形浄瑠璃でも有名な近松門左衛門《ちかまつもんざえもん》作の『傾城反魂香《けいせいはんごんこう》』では絵師・土佐将監《とさのしょうげん》のもとへ弟子の又平《またへい》・お得《とく》夫婦が瀬田《せた》うなぎを持って見舞いに行く場面が一つの見せ場になっています。一方、古典落語には「うなぎ屋」「素人鰻《しろうとうなぎ》」「後生鰻《ごしょううなぎ》」「うなぎの幇間《たいこ》」などがあり、数の上では、落語の勝ち！

次に名人との関わり。歌舞伎界にも落語界にもうなぎ好きは多いもの。もう20年も前ですが、たまたま九段の辺りを歩いていて、老舗うなぎ屋**阿《あ》づ満《ま》や（東京都千代田区九段《ちよだくくだん》）**にふ

らっと立ち寄ったことがあります。歌舞伎の写真が飾ってあったので、どなたかご贔屓の役者さんがいらっしゃるのかと、女将に尋ねたら、「うちの主人なんですよ」と。元女形の二代目中村吉之助《なかむらきちのすけ》丈でした。役者を引退後にお店を継いだとのこと。十三代目市川團十郎《いちかわだんじゅうろう》丈も、千葉県成田市の観光大使を務めており「成田うなぎまつり」のＰＲもしています。各地の老舗で歌舞伎役者の直筆サインを見かけることもしばしば。落語はというと、六代目三遊亭圓生《さんゆうていえんしょう》は、落語協会を脱会して記者会見を行った後、メンバーをうなぎで労《ねぎら》ったそうです。その弟子の五代目三遊亭円楽《さんゆうていえんらく》もうなぎ好き。晩年の闘病中、桂歌丸《かつらうたまる》がうなぎを持って見舞いに行くとにっこり微笑んだという逸話があります。五代目柳家小《やなぎやこ》さんは、贔屓にしていた**小福《こふく》（東京都文京区《ぶんきょうく》湯島《ゆしま》）**でうなぎをマイ丼で食べていたとか。立川談志《たてかわだんし》の贔屓は、**鰻割烹《うなぎかっぽう》 伊豆榮《いずえい》（東京都台東区《たいとうく》上野《うえの》）**。立川流の二ツ目昇進試験は、伊豆榮の別館・梅川亭《うめかわてい》で行っていたそうで、弟子の立川談春《たてかわだんしゅん》は、著書『赤めだか』の中で「梅川亭の大広間の舞台は、立川流前座達の嘆きの丘と呼ばれている」と書いています。数の上ではこれまた落語の勝ち！

とここまで来て、思い出しました。元祖うな丼「うなぎめし」の始まりは、中村座の金主《きんしゅ》大久保今助《おおくぼいますけ》でした（Ｐ58）。何を隠そう、今あるうな重のもとである「うなぎめし」の生みの親なのですから、ここは敬意を表して大逆転。やっぱり歌舞伎の勝ち！

05 メソッコVSボッカ

メソッコ：細くて小さなうなぎ
ボッカ　：太くて大きなうなぎ

稚魚から成魚になる過程で名前が変わる魚のこと「出世魚《しゅっせうお》」といいます。名前の変わる理由は諸説ありますが、一説には、成長段階によって商品価値が異なるため、漁業や流通の場で識別するために呼び方を変えた、といわれています。うなぎも出世魚で、これまでも登場したとおり、いくつかの呼び方があります。

①レプトセファルス　透明で木の葉のような形の生まれたての赤ちゃんうなぎ
②シラスウナギ　透明で全長5～6㎝に成長した赤ちゃんうなぎ
③クロコウナギ　体が黒ずみ始め15㎝ほどに成長した子どもうなぎ

これとは別に通称で、小さなうなぎをメソッコ、特大うなぎをボッカといいます。前置きが長くなりましたが、この勝負、大小どっち？という話です。

メソッコは、食用にできるぎりぎりサイズです。今は資源保護の観点から食用としては滅多に見かけませんが、40年ほど前までは天然のメソッコを食べさせる店がありました。頭を落とさずに串に巻いて焼きます。この姿が剣に巻きついた倶利伽羅竜王《くりからりゅうおう》に似ているので「倶利迦羅焼《くりからやき》」と呼ぶようになりました。現在、うな串屋で提供する倶利伽羅焼は、ほとんどが普通サイズのうなぎを細長く切って巻いたものです。**新宿うな鐵《てつ》（東京都新宿区歌舞伎町《しんじゅくくかぶきちょう》）**、**鰻串焼《くしやき》 くりから（東京都中野区東中野《なかのくひがしなかの》）**など、中にはこだわって、小さなサイズのうなぎを提供している店もあります。

ボッカはというと、利根川の希少な下りうなぎは前述のとおり（P130）ですが、あれはメスの話。オスの特大サイズは身も皮も硬く売り物になりません。そこで、うなぎの名産地静岡県で生まれたのが、養鰻場の池番《いけばん》さんたちによる賄料理《まかないりょうり》。ボッカとごぼうを煮てご飯にまぜた、その名も「ぼくめし」です。ごぼうとうなぎは相性バッチリでやがて家庭にも広がり、いまや静岡の郷土料理となりました。浜松駅近くの**焼鰻《やきうなぎ》 浜名湖《はまなこ》 中ノ庄《なかのしょう》（浜松市《はままつし》中区《なかく》）**や養鰻場を営む**うなぎの天保《てんぽう》（浜松市西区《にしく》）**では、「池番達だけのものにするにはもったいない」と、このぼくめしがメニュー化されています。

というわけで、ここは池番さんたちのアイデアに一票。ボッカの勝ち！

06 ブラウンVSホワイト

ブラウン：イワシ、サバ、サンマなど、茶系の魚を使った養殖うなぎの餌
ホワイト：スケソウダラなど、白身系の魚を使った養殖うなぎの餌

略さずに書くと「ブラウンフィッシュミール」と「ホワイトフィッシュミール」で、これまで養殖うなぎの餌の定番の二種とされてきました。「フィッシュミール」は、魚を蒸し煮して圧搾し、乾燥させて粉末としたもので、魚粉《ぎょふん》ともいい、主に家畜や養魚《ようぎょ》の飼料に使われます。ここは、養殖うなぎの餌対決です。

結論から言いますと、この対決はもはや、両者ともに、リングから下りてトレーナー的存在になっています。昔は魚がいっぱい捕れたので、一般的にブラウンは安価、ホワイトは高価、と相場が決まっていました。ところが、現在はイワシの値段が上がり、むしろブラウンのほうが高価になってしまいました。魚の値段の変動に合わせて餌の値段も変動するため、安定した仕入れが難しくなってしまっています。では、現状養鰻場はどうしているかというと、

オリジナル性の高い餌を与えています。もともと天然のうなぎは雑食で、アユやカワムツなどの魚類から、ミミズやエビなどの小生物まで幅広く捕食します。棲む場所によって、うなぎの味が異なるのは、捕食できる餌が異なるためで、何を食べているかが、うなぎのおいしさに直結していると言われています。例えば、三方湖の口細青鰻《くちぼそあおうなぎ》が美味なのは沙蚕《ごかい》を食べるため（P133）というのと同じように、児島湾（岡山県）の天然うなぎはアナジャコを食べるので、独特のうま味があるとされています。

養鰻家は、天然うなぎ以上を目指してうなぎを育てています。成長段階によっても、餌は変わりますが、例えば**三河淡水《みかわたんすい》グループ（愛知県西尾市《にしおし》）**では、出荷前、風味がアップするオキアミと抵抗力を強めるにんにくを配合しています。また、**株式会社大森淡水《おおもりたんすい》（宮崎県宮崎市）**では、まろやかな味わいに育てるために、やはり出荷前にハーブを配合しています。もはやブラウン、ホワイトではくくれず、養鰻家一人一人の力量がうなぎの味に表れる時代になりました。だから今、うなぎが面白いわけです。

そしてこだわりの餌といえば、やはりブランド養殖うなぎ。二大養殖うなぎの「大井川共水うなぎ」「うなぎ坂東太郎」（P31）両方を扱っている希少な店が「ブランド鰻専門店」の**うなぎ 八幡《やわた》屋（千葉県市原市《いちはらし》）**です。

37 単年VS周年

単年《たんねん》：池入れしてから1年以内に出荷する養殖方法
周年《しゅうねん》：池入れしてから1年以上経ってから出荷する養殖方法

言葉だけの意味で言うと、単年か周年かの違いは、一定の時期から数えて1年経ったか経っていないか、という違いです。うなぎの養殖には単年養殖と、周年養殖があるわけですが、ここで、うなぎの養殖をおさらいしておきましょう。ごくシンプルに言うと、

① 海や川で採捕したシラスウナギを仕入れて養殖池に池入れする
② 養殖池で育てる
③ 活鰻として出荷する

という3ステップ。シラスウナギは通常11月頃黒潮に乗って日本近海に辿り着きます。漁が解禁されるのは概《おおむ》ね12月から春先まで。つまり、①のスタートは12月から春先までとなります。どんなビジネスも需要と供給のバランスがとれて初めて成立するのは自明の理ですが、

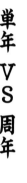

うなぎについても然り。活鰻の需要が日本で一番高まるのは、ご存じのとおり、夏の土用の丑の日です。つまり、③のゴールは、6~8月頃となるわけです。

まず単年養殖の場合、夏までに大きく育てて出荷するためには、できるだけ早くスタートしなければなりません。12~1月に池入れして、大半のうなぎは1年以内に出荷し終えます。

一方、周年養殖の場合、1~3月に池入れして、大半が1年以上かけてゆっくり育てます。前年に池入れしたうなぎを育てている状態で翌年の池入れをするので、年間を通してうなぎを育てることになります。

それぞれにメリット、デメリットがあります。近年シラスウナギの不漁から、捕れはじめは高値で取引されるため、単年の場合どうしても高値で仕入れなければならないのがデメリット。これが周年の場合、価格が比較的落ち着いた時期に仕入れられるメリットがあります。一方、単年の場合土用の丑の日の需要期に、ちょうどよく育ったうなぎを出荷できるメリットがありますが、周年の場合、夏の土用の丑の日の需要期に当てるには、1年以上かかるので、手間もコストもかかるというデメリットがあります。

また、育ったうなぎの特性も異なります。この話は、次のページの「新仔《しんこ》」「ヒネ仔《こ》」の話に密接に関わってきますので、ひとまずこの勝負、次のラウンドへ持ち越し!

08

新仔 VS ヒネ仔

新仔《しんこ》：養殖期間1年以内で出荷されたうなぎ
ヒネ仔《こ》：養殖期間1年以上で出荷されたうなぎ

梅雨の晴れ間に夏の訪れを感じる6月。うなぎ屋の店頭で「新仔うなぎ入荷しました」という貼り紙を見かけたことはありませんか。新仔って特別なの？　と思いますよね。

そもそも池入れの時期が養鰻場によって異なることは、前のページでお話ししたとおりですが、さらに言うと、同じ時期に池入れをしても、成長に個体差が出ます。12月に池入れしたシラスウナギを翌年12月までに出荷できれば新仔ということになりますが、その中でもたった半年で出荷サイズに育ったうなぎが、この時期の新仔です。

養鰻場では、うなぎの成長に合わせて、サイズを揃えて1つの池にまとめる「池替《いけが》え」という作業を数度行います。それほどに、うなぎの成長に差が出る理由の1つは、食べた餌の量です。半年で出荷できるうなぎは、池の中の餌とり競争に勝ち抜いた精鋭たちなのです。

新仔の中でも飛び切り成長が早いのは「トビ」と呼ばれ、貴重とされます。それは、うなぎは成長が早いほど身も皮もやわらかいからです。さらに脂ののりも良く、小骨も少なく香りも豊か。すっきりとした後味の上品なおいしさになると言われています。

ならば新仔の圧勝！　といきたいところですが、そう簡単にいかないのがうなぎの面白いところ。ヒネ仔は新仔に比べて、皮も硬く、小骨も太くなる傾向にある一方で、若いうなぎにはない、うなぎ本来の味わい深さが楽しめるため、通《つう》にはたまらないのです。現にブランドうなぎの中には、養殖期間1年半~2年と、手間暇かけて育てたものもあります。

関東風蒲焼では、蒸し時間を長くとればやわらかくなるので、味の濃厚なヒネ仔を好む職人も多くいます。例えば、1835（天保6）年創業の老舗**うなぎ　はし本《もと》（東京都文京区《ぶんきょうく》水道《すいどう》）**。江戸時代から継ぎ足したたれに合わせるために、味のあるうなぎにこだわり、時期によってはあえてヒネ仔を選んでいるそうです。そうはいっても、捌き、焼き、蒸し、どれをとっても新仔の方が楽で、客を待たせずにすみます。関西風地焼きの店でも、鹿児島産にこだわる**なまずや　各務原分店《かかみがはらぶんてん》（岐阜県各務原市《かかみがはらし》）**は、ヒネ仔の時期には皮に隠し包丁を入れて、やわらかくする工夫をしています。ヒネ仔は職人を選びますし、言うなれば、客も選びます。これまたどっちもいいね、という話なので、引き分け！

09

江戸裂VS大阪裂

江戸裂《えどさき》：ヒレがひける、背開きに適した万能包丁
大阪裂《おおさかざき》：柄がない、腹開き専用の包丁

うなぎを捌《さ》くことに特化した包丁を「うなぎ裂包丁《さきぼうちょう》」といいます。刀が武士の魂ならば、うなぎ裂包丁はうなぎ職人の魂です。うなぎの捌き方は、関東は背開き、関西は腹開き。捌き方が異なるので、長い歴史の中で包丁も異なる仕様が生まれました。

背開きに適した「江戸裂」（写真右端）は、うなぎの背を開きやすい平たい刃が特徴で、先端部分や、長い刃、短い刃を用途に応じて使いわけます。いわば、うなぎを捌くための多機能型出刃包丁です。

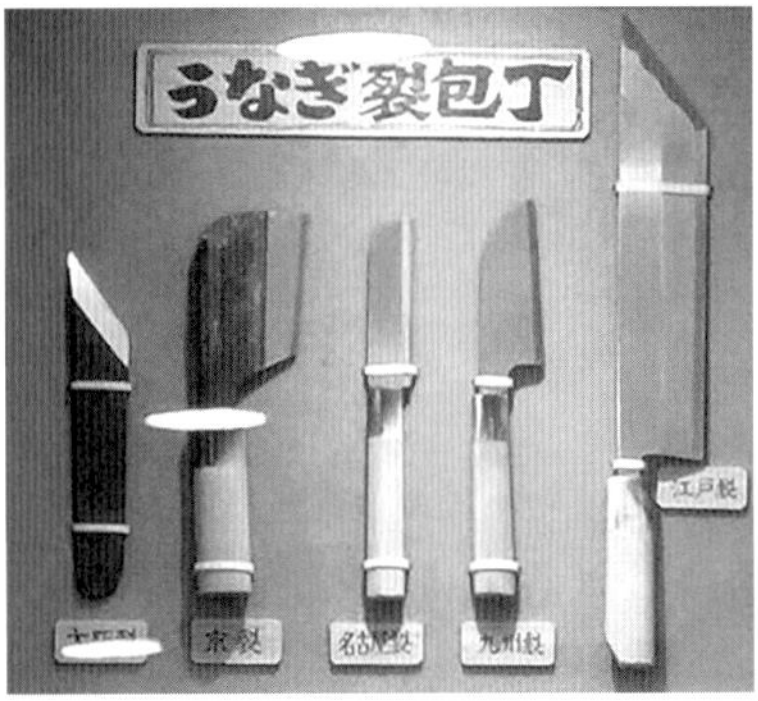

左から、大阪裂、京裂、名古屋裂、九州裂、江戸裂（写真提供：野田屋東庖会）

腹開き専用の「大阪裂」（写真左端）は、持ち手がないため、職人は手に包帯《ほうたい》を巻いて小刀を持ちます。私が初めて小刀でのうなぎ捌きを見たのは、**炭火焼寝床《すみびやきねどこ》 心斎橋本店《しんさいばしほんてん》（大阪府大阪市《おおさかし》 中央区《ちゅうおうく》 東心斎橋《ひがししんさいばし》）**でした。水本将也《みずもとまさや》店長は、やはり手に包帯を巻いて、鮮やかな手つきで捌いてらっしゃり、関東との違いに感動しました。

実は関西にはもう一つ「京裂《きょうざき》」（写真左から2番目）があります。一見鉈《なた》のような形をしていますが、厚みをもったミネの部分は頭打ちに適しています。

そして、名古屋を中心に東海地方で使用されているのは「名古屋裂《なごやざき》」（写真左から3番目）です。東海地方は、関東と関西の中間地点。捌き方も関東と関西の間です。さすがは合理的な名古屋人。背開きに適しているものの長くて扱いにくい江戸裂を、使いやすくコンパクトにした形で、腹開きと背開きどちらにも適した万能うなぎ裂と言ったところ。

「九州裂《きゅうしゅうざき》」（写真左から4番目）は、小さめの出刃包丁のような形で、柄の近くにも一段刃がついています。九州は温暖な気候のため、太物《ふともの》のうなぎがたくさん捕れたので、太くて力強いうなぎを手際よく捌くのに適したうなぎ裂きが誕生しました。

そんなわけで、江戸裂、大阪裂だけでなくいろいろ登場して場外乱闘状態。混戦につき、ここは引き分け！

10 ふわとろ VS かりふわ

ふわとろ：関東の蒸しの工程を経て焼かれた蒲焼の食感を表す表現
かりふわ：関西の地焼きの蒲焼の食感を表す表現

関東風蒲焼は、ふわっとした口当たり、舌の上でとろける食感が魅力です。背開きにして頭を落として竹串を打ち、素焼きにしたうなぎを蒸してから、たれをつけて焼きます。「万《まん》遍《べん》返し」と呼ばれるほど、何度も裏表を返しながら焼き上げます（P２）。江戸時代に創業した老舗うなぎ屋が継承してきた流儀なので、江戸前蒲焼ともいいます。江戸前蒲焼は、蒸して余分な脂を落とすため、さっぱりした味わいで、たれもそれに合わせて醤油の効いた辛口のきりっとしたたれが主流です。皮も箸がすっと入るやわらかさ。

関西風蒲焼は、蒸さずに焼くだけで仕上げる地焼きスタイル。表面はかりっとクリスピーな食感で、噛むと中はふわっとしています。蒸す工程がないため、蒸し器のサイズを気にする必要もないので、うなぎは頭までついた大きいまま。熱伝導率のよい鉄串を打ちます。「こなし」と呼ばれる焼きの技は、まるで南京玉すだれのような手つきで、焼き上げます。みりんや砂糖をきかせた濃厚なたれが主流で、たれをつけながら焼き上げていきます（P3）。

というのが基本ですが、こうパッツリいかないのが令和の現状。関西風蒲焼の発祥の地はその名のとおり京都・大阪です。ところが、現在の京都・大阪の人気うなぎ店の半数近くを、江戸焼《えどやき》と称する関東風の店が占めています。現在、三大都市圏の中では中京地区がほぼ関西風蒲焼のうなぎ屋です。特に名古屋市は200店以上あるうなぎ屋で、関東風蒲焼の店は2店のみと、ある意味関西風の本拠地となっています。食べログうなぎ百名店（2022年度）には、名古屋市の店が9店選出されていて自治体別では最多。名古屋はいい店がありすぎて書ききれませんが、がっつり関西風を体験したいなら**うなぎ家《や》しば福《ふく》や（西区《にしく》）**、便利さではターミナル駅に4店舗展開する**ひつまぶし　しら河《かわ》**、映《ば》えるなら**うな昇《しょう》（名東区《めいとうく》）**がおすすめです。

一方東京都内を見ても「江戸地焼《えどじや》き」という言葉があるくらいで、地焼きが一つのスタイルとして定着した感があります。今や、かりふわ、ふわとろ、どちらかを選ぶ時代ではなく、融合スタイル「かりふわとろ」の時代。ということで、最後の一戦は、手を取り合って仲よく終了！

《其の六》

鰻福感《まんぷくかん》

炭焼《すみや》きの店《みせ》うな豊《とよ》　店主　服部公司《はっとりこうじ》さん

名古屋市の郊外にある「うな豊」さん。店に入ると元気な声で「いらっしゃいませ！」と声がするものの、大将の服部さんの声は早口で聴き取れない。あとで聞くと「しあわせ」と「いらっしゃいませ」は同じ周波数なので、「しあわせ！」と言っているとのこと。それ以来、私にとって「うな豊」さん、イコール「幸せのうなぎ屋」となりました。技術もお人柄も確かで、「鰻福会《まんぷくかい》」という、SNSでつながったうなぎ職人の会の会長としてみんなに慕われています。三代目となる息子さんも調理場に立っており、うなぎ専門店の明るい未来を感じさせてくれます。

「食べログ百名店」や「ミシュラン岐阜・愛知・三重特別版」にも選出された「炭焼きの店 うな豊」。江戸裂風の大将のうなぎ裂（左）と、大阪裂風の二代目のうなぎ裂（右）

質問一◉　自己紹介をお願いします

炭焼きの店　うな豊（愛知県名古屋市瑞穂区《なごやしみずほく》）

開いたのが、1960年。目の前が「豊岡通り《とよおかどおり》」なのと、父の名前が豊吉《とよきち》だったので、「うな豊」という名前にしたそうです。私は、大学卒業後すぐに店に入りましたが、最初は、嫌で嫌で仕方なかったです。父とは仲が悪かったので、やり方を訊くのも癪《しゃく》に障るし、後ろからそーっと見て、父が振り返ると「見てねえし」みたいな態度をとっていました。の二代目店主です。私の父がここにお店を

私が店主になってからは、お客様からずい分小言をいただきました。昔は痛烈なお客様が多くて、父の代からのお客様からは、「親父さんの足元にも及ばんな」と、言われましたね。あるお客様は、厨房から一番遠い席に座られて、「こりゃだめだ」とおっしゃるんです。私も若かったので悔しくて、あのお客様だけは絶対「うまい」と言わせたい、と思うようになりました。また来ていただくことを目標にがんばっていたら、来る度に徐々に座られる席が厨房に近づいてきて、厨房の真ん前の席に座られて「おいしかった」と言ってくださった時は、言葉にできないほどの喜びをいただけました。その時に、「この人においしいと言っていただきたい」という思いを、一人一人のお客様にぶつけることができたら、これ以上楽しい仕事はないんじゃないかな、と思えるようになりました。

質問二◉　理想とするうなぎ屋とはどんな店でしょう?

この店を継いで45年、今はいいうなぎが入るようになって、焼くのが楽しいですが、うなぎが不漁でいいうなぎが入らず、厳しい時期もありました。どう焼いたらおいしくなるのか、あの手この手で試行錯誤をくり返して、あのころは本当に辛かったです。また、関東の職人さんと知り合って、江戸前の美しい蒲焼を見て、地焼きであれを実現したいと思って追求した時期もあります。紆余曲折の中、思ったのは「融通の利かない店」というのが、結局、お客様に対しても、「いい店」なんじゃないかな、ということです。

父の代から「たれ」は同じですが、「焼き」は私の代で変えています。でも、もともとうちの焼きが好きなお客様からは「もっと焼き入れてよ」と言われたこともあり、強がりもあって、「これがうちの焼きです!」と返したら、そのまま黙ってお客様が召し上がってくださったことがありました。融通の利かない店ですよね。でも、素材としてのうなぎと、たれと、焼きと、すべてが合致するポイントは、どれか一つずれれば成り立たず、お客様の希望に合わせて変えれば、どんどんぶれていきます。こうと決めたらそれを貫くことで、「あそこにいけばこれが食べられる」という輪郭をはっきりさせることが、お客様に対しても深い愛情につながるのではないかと思っています。

質問三◉「鰻」という文字を使った格言をいろいろ編み出されていますね

うちの店のウェブサイトには、「鰻を食べて幸せと感じる神経を『鰻福中枢《まんぷくちゅうすう》』と言います。うな豊は貴方《あなた》の『鰻福中枢』を激しく刺激します！　覚悟は宜《よろ》しいか☆」と、書かせていただいています。まあ、楽しんでいるだけです。

いつも何か楽しいことはないかな？　と考えていて、ウェブサイトなりSNSなりを見てくださる方が、くすっと笑ってくれたら、うれしいなと。うちにきてくださったお客様が「鰻福中枢を刺激されました」とSNSでつぶやいてくださったのを、まだうちにいらしたことのない方が、面白い！　とシェアしてくださって、そうやって笑いの輪が広がっていくのが見ていて楽しいです。

質問四◉「鰻福会」の最近の活動について教えてください

SNSから生まれたうなぎ職人さんたちの会で、かれこれ10年ほど前、十数名で始まり、現在100名を超えました。こんな大所帯になるとは思っていませんでした。コロナ禍に途切れた時期はありましたが、年2回のペースで交流会を行っています。

私が若いころは、他のうなぎ屋は「敵」でしかない、という時代でしたから、横のつながりはまずなかったです。狭い視野で生きていたな、と思います。こうして蓋をあけてみると、やはり同じ世界に生きている者同士、通じ合う部分はたくさんあります。

質問五◉「うなぎ」とは、あなたにとって何ですか？

一番難しい質問ですね。空気でしょうか。特別な感情はないけれど、あって当たり前。ないと息苦しくなるもの。うちの嫁さんは「なんだかんだ言いつつ、結局、生まれ変わってもまたうなぎ屋になるのよ、お父さんは」って言っています。休んでいてもずっと頭のどこかでうなぎのことを考えていますし、私にとってうなぎは、「空気のようなもの」ですね。

うなぎとは「空気のようなもの」

2024年3月6日「炭焼きの店 うな豊」にてインタビュー

「鰻福感」の色紙を手にした服部公司さん

おわりに

うなぎに携わる方は異口同音に「うなぎの世界へ入って良かった」と口にします。私事ですが、もともとアパレル業界にいた息子の光寿《みつひさ》は、**鰻問《どん》屋《や》もがみ（千葉県柏市《かしわし》）**を経て、現在**江戸屋《えどや》うなぎ店《てん》（千葉県流山市《ながれやまし》）**でうなぎ職人になるべく修業しています。うなぎの世界へ入ってからの息子は、目前の道に邁進《まいしん》し、愚痴《ぐち》一つ言いません。それは何故でしょう。

うなぎに関わる仕事は、朝早く、力仕事も多く、決して楽な仕事ではありません。また、うなぎは川魚の中で最も皮が硬い魚です。ですから、うなぎを捌く作業はとても体力が要ります。私もうなぎ捌きに挑戦しましたが、頭打ちで失敗してうなぎが暴れ、包丁を真っ直ぐ引くのさえ至難の業でした。うなぎ職人のうなぎ捌きを見ると、いとも簡単に手早く捌きますが、これは400年の歴史を持つ伝統の技で、長年積み重ねられた修業の賜物なのです。毎日異なる素材と、毎日異なるお客様。刻一刻と変わる火との格闘。「うなぎ」という唯一無二の存在は、一つの道を究めるために、走り続ける男たちのロマンなのです。近年は女性職人も登場し、新たな歴史も刻まれようとしています。

うなぎは「おいしい」しか知らなかった私は、多くのうなぎ関連の方々のおかげで今があります。かつて、さまざまなうなぎ情報を発信していたうなぎネットと、ご恵贈いただいたうなぎの業界誌日本養殖新聞《にほんようしょくしんぶん》には大変お世話になりました。うなぎ愛好会を主宰する山室賢司さんにはたくさんご縁をいただきました。また、初めてじっくりうなぎ店の話を伺った**鰻十《うなぎと》和田《わだ》（埼玉県川口市《かわぐちし》）**の星野吉昭《よしあき》社長との思い出は忘れられません。そして、テレビに出ることを恐れて、ずっとオファーを断り続けていた私に「一人でも話を聞いてくれる人がいるなら、感謝しないと」と背中を押してくださった、**炭焼《すみや》きの店《みせ》 うな豊《とよ》（愛知県名古屋市瑞穂区《なごやしみずほく》）**の大将にお礼申し上げます。

これまでご縁があったお店、うなぎ関係の方のお名前をできる限り本文中に掲載させていただきました。しかしながら、都内だけでもうなぎ屋は900店以上あり、私が伺えたお店はいまだ200店ほどです。すべてを載せることが叶わず、この場を借りて御礼申し上げます。

うなぎを捕る人、うなぎを研究する人、うなぎを育てる人、うなぎを運ぶ人、うなぎを調理する人、そしてうなぎを食べる人、これらがそろってうなぎの未来が広がっていきます。本書を読んで、うなぎを好きになる方、さらに好きになってうなぎ沼にはまる方がいてくれたら無上の喜びです。

最後になりましたが、本書を執筆するきっかけをくださった、実話怪談作家の川奈まり子先生、編集担当の藤井玲子さんに御礼申し上げます。

『うなぎ大全』が世に出るのは、ちょうど今年の新仔うなぎが出荷される時期です。土用の丑の日に向けてうなぎの熱い夏がやってきます。

「うなぎ食べ　喜色鰻面《きしょくまんめん》　福が来る」

皆様の運気うなぎ昇りを心からお祈り申し上げます。

二〇二四年六月　　うなぎ大好きドットコム　高城　久

★…飲食店　☆…それ以外
地名や「うなぎ」等の店名は省いて、屋号のみで五十音順に分類しました。
ただし、屋号と一体化しているものは、そのまま分類しています。

店名・会社名◆索引

◆**取材協力**（取材順）

・うなぎ村（茨城県かすみがうら市）
・泰正養鰻（鹿児島県曽於郡大崎町）
・株式会社大森淡水（宮崎県宮崎市）
・うなぎ処 饅楽（宮崎県宮崎市）
・入谷鬼子母神門前のだや（東京都台東区下谷）
・炭焼うな富士（愛知県名古屋市昭和区）
・炭焼きの店うな豊（愛知県名古屋市瑞穂区）
・うなぎ量深（茨城県笠間市）
・うなぎ割烹髙橋屋（埼玉県北葛飾郡杉戸町）

◆**参考資料　新聞**（日付順）

・読売新聞オンライン「ウナギ絶滅？　万葉歌人と江戸の発明家が勧めたワケ」（2019年7月24日）
・朝日新聞デジタル（2020年2月20日）「『ウナギおいしい』縄文人は目覚めた　霞ケ浦の貝塚調査」
・産経新聞（2023年3月27日）「絶滅危惧種のニホンウナギがいた　意外とキレイだった道頓堀川」
・朝日新聞デジタル（2023年10月31日）「主婦の私がウナギ職人に？」

◆**参考資料　書籍**（出版年順）

・『明和誌』国書刊行会（編）国書刊行会（1916）国立国会図書館（蔵）
・『晩年の父』小堀杏奴（著）岩波書店（1981）
・『それから』夏目漱石（著）新潮社（1985）
・『夫婦善哉』織田作之助著（著）新潮社（2000）
・『吾輩は猫である』夏目漱石（著）新潮社（2003）
・『小園』斎藤茂吉（著）短歌新聞社（2005）
・『アフリカにょろり旅』青山潤（著）講談社（2009）
・『「江戸前」の魚はなぜ美味しいのか』藤井克彦（著）祥伝社（2010）
・『ウナギ大回遊の謎』塚本克己（著）PHP研究所（2012）
・『う　松の巻』ラズウェル細木（著）講談社（2015）
・『う　竹の巻』ラズウェル細木（著）講談社（2015）
・『う　梅の巻』ラズウェル細木（著）講談社（2015）
・『漱石氏と私』高浜虚子（著）ゴマブックス（2016）
・『徳川四代大江戸を建てる！』河合敦（監）実業之日本社（2017）
・『魚はなぜ減った？　見えない真犯人を追う―東大教授が世界に示した衝撃のエビデンス』山室真澄（著）つり人社（2021）
・『ビジュアルでわかる江戸・東京の地理と歴史』鈴木理生・鈴木浩三（著）日本実業出版社（2022）
・『Momoka Japan 外国人が日本食を食べて感動が止まらない』Momoka Japan（作）稲谷（画）講談社（2023）

◆参考資料　ウェブサイト（五十音順／２０２４年4月26日閲覧）

・一色うなぎ漁業協同組合
・一般社団法人　全日本持続的養鰻機構
・浮世絵文献資料館
・うなぎ問屋忠平
・ＳＥＦＩ Sustainable Eel Farming Infrastructure Project
・ＮＨＫ福井放送局「福井のグルメ若狭牛と三方五湖の天然うなぎを食べたい！」
・太田記念美術館
・株式会社共水
・株式会社ビジネスチャンス「鰻の成瀬１６００～２６００円とリーズナブルな価格でうな重を提供」
・環境省「ニホンウナギの生息地保全の考え方」
・キッコーマン株式会社「二代堀切紋次郎の白味淋」
・近畿大学「ニホンウナギの完全養殖に大学として初めて成功」
・公益社団法人日本水産資源保護協会
・公益社団法人日本動物学会「ニホンウナギの降河回遊行動に伴う生殖関連ホルモンの動態」
・国立研究開発法人海洋研究開発機構（ＪＡＭＳＴＥＣ）
・国立研究開発法人 水産研究・教育機構（ＦＲＡ）
・国立国会図書館次世代デジタルライブラリー
・山陰いいもの探県隊「宍道湖ウナギ漁」
・滋賀県農政水産部「滋賀のおいしいコレクション」
・自然人ネット「口細青うなぎ」
・水郷佐原観光協会
・総務省統計局「特定の日に消費が増える品物」
・千葉県水産総合研究センター「利根川ウナギ鎌漁」
・東京大学大学院 新領域創成科学研究科「ウナギはどこにいる？」
・日本漁業協同組合連合会「うなぎ養殖の歴史」
・日本養鰻漁業協同組合連合会
・農林水産省「うちの郷土料理」「パイオニア精神によって発展し続ける鰻文化」「ウナギの輸入の状況について教えてください」「資源回復のための種苗育成・放流手法検討事業報告書」「利根川下流域における下りウナギ Anguilla japonica の出現状況」
・野田市「野田の醤油発祥地」
・浜名湖産直マーケット
・浜松市「浜松市の養殖業」
・浜松情報ＢＯＯＫ
・ヒゲタ醤油株式会社「玄蕃蔵物語」
・福井県里山里海湖研究所
・福井県若狭湾観光連盟「ウナギ」
・森記念財団「東京人が愛する鰻」
・三河淡水グループ
・竜ケ崎市観光物産協会「うな丼発祥の地」

● 著者プロフィール
高城　久（たかしろ・ひさし）

うなぎ愛好家。己《おのれ》書《しょ》家《か》。1962年東京都生まれ。千葉県柏市で、「柏長生館高城整復院」を営む傍ら、うなぎ好きが高じて2004年よりうなぎ屋さん応援サイト「うなぎ大好きドットコム」を開設。20年継続中。夏のうなぎシーズンには、テレビやラジオの出演、雑誌等の原稿依頼を多数こなす。TBS系列『マツコの知らない世界』に異例の2回出演。名古屋のうなぎ専門店「炭焼きの店 うな豊」で見た「うなぎ昇り」の己書に魅せられ、師範を取得。うなぎと己書で笑顔を広めるため活動中。

随時更新中

ウェブサイト
うなぎ大好きドットコム

ウェブサイト
都道府県別・うなぎ屋さんレポート

YouTube
うなぎ大好きチャンネル

読《よ》めばもっとおいしくなる
うなぎ大全《たいぜん》

2024年6月18日　第1刷発行

KODANSHA

著　者　高城《たかしろ》久《ひさし》
発行者　清田 則子
発行所　株式会社講談社
〒112-8001　東京都文京区音羽2-12-21
販売 03-5395-3606
業務 03-5395-3615
編　集　株式会社講談社エディトリアル
代　表　堺 公江
〒112-0013 東京都文京区音羽1-17-18　護国寺SIAビル
編集部 03-5319-2171
印刷所　株式会社東京印書館
製本所　株式会社国宝社

ISBN978-4-06-536060-6